C000125000

CHWANT

CHWANT

Cyfrol o straeon byrion
ar gyfer oedolion yn unig

bwthyn
GWASG Y BWTHYN

ⓗ Gwasg y Bwthyn 2019

ISBN: 978-1-912173-18-1

Cedwir pob hawl.
Ni chaniateir atgynhyrchu unrhyw ran o'r cyhoeddiad hwn
na'i gadw mewn cyfundrefn adferadwy na'i drosglwyddo
mewn unrhyw ddull na thrwy unrhyw gyfrwng electronig,
electrostatig, tâp magnetig, mecanyddol, ffotogopïo, recordio,
nac fel arall, heb ganiatâd ymlaen llaw gan y cyhoeddwyr.

Cyhoeddwyd gyda chymorth ariannol
Cyngor Llyfrau Cymru

Dyluniad y clawr: Olwen Fowler

Cyhoeddwyd ac argraffwyd gan
Gwasg y Bwthyn, Caernarfon
gwasgybwthyn@btconnect.com
Rhif cyswllt: 01286 672018

Cynnwys

Syrpréis!

Bethan Gwanas

Gwyddai Linda yn iawn eu bod nhw wedi trefnu 'syrpréis' iddi. Roedd pawb, mwya sydyn, wedi rhoi'r gorau i'w holi sut roedd hi am ddathlu ei phen-blwydd, a phawb wedi mynd ati i newid y pwnc bob tro y byddai penblwyddi o unrhyw fath yn codi mewn sgwrs. Roedden nhw'n griw oedd yn hoffi rhoi 'syrpreisus!' i'w gilydd, a hithau wastad wedi bod yn rhy lywaeth i ddeud ei bod hi'n casáu blydi syrpreisus. Yn enwedig syrpréis oedd ddim yn syndod o fath yn y byd, a hithau'n gorfod esgus bod yr holl beth mor annisgwyl.

Roedden nhw wedi trefnu parti felly iddi pan oedd hi'n 50 hefyd. Trefnu i David fynd â hi am 'bryd o fwyd bach tawel' i'r Llew Gwyn ond hwnnw'n mynd â hi i'r neuadd bentre yn lle hynny, efo rhyw esgus tila ei fod o 'jest isio gneud yn siŵr bod y cadeiriau newydd wedi cyrraedd – ty'd efo fi i weld'. Roedd hi wedi dechrau amau yn syth, ac roedd y fflyd o geir cyfarwydd oedd wedi eu parcio tu allan i'r neuadd wedi gwneud y peth yn gwbl amlwg, heb sôn am y ffaith fod y golau tu mewn wedi ei ddiffodd yn swta wrth iddyn nhw barcio. Felly, pan neidiodd pawb allan arni yn sŵn a sgrechian a *party poppers* i gyd, roedd hi wedi gwneud ei gorau glas i edrych fel tasai hi wedi cael syrpréis mwya ei bywyd. Bysedd at ei cheg i danlinellu ei sioc. Llaw dros ei chalon. Chwerthin yn swil. Ac ymdrechu wedyn i edrych fel tasai hi wrth ei bodd. Gwên blastig yn dangos gormod o ddannedd. Pawb yn ei chofleidio a'i llongyfarch am wneud rhywbeth mor rhyfeddol â goroesi am hanner cant o flynyddoedd. A hithau jest isio mynd adre. Efo'r llond llaw o falŵns oedd yno.

Roedd synnwyr cyffredin yn deud y bydden nhw'n gwneud rhywbeth tebyg y tro yma hefyd, a hithau wedi cyrraedd ei 60 ... 60? O ddifri? Roedd hi mor anodd credu ei bod hi wedi cyrraedd yr oedran mawr hwnnw yn barod. Ond eto, nag oedd, ddim mor anodd â hynny, ddim pan fyddai'n gweld lluniau ohoni ei hun, neu'n cael ei harteithio gan ddrych arbennig o greulon mewn rhyw westy neu dŷ bach, drych oedd yn dangos pob blydi rhych, pob gwythïen fach goch a phob blewyn mewn man nad oedd blewyn i fod. Roedd hi'n haws jest osgoi drychau ac anghofio am ei sbectol. A deud wrthi'i hun bod Jerry Hall a Kim Cattrall wedi hen basio'r 60. Ond prin fod y rheini â blew lle na ddylai blew fod – mae'n siŵr bod gan y rheini PAs oedd yn eu dilyn i bob man efo *tweezers* a photyn o Crème de la Mer.

Ta waeth, doedd David ddim wedi sôn gair am unrhyw bryd bwyd hyd yma. A deud y gwir, roedd hi'n amau'n gryf ei fod o wedi anghofio am ei phen-blwydd yn llwyr. Roedd o wedi gadael y tŷ cyn i'r hanner dwsin o gardiau arferol gyrraedd efo'r postmon ganol bore. A'r blodau gan Meleri drwy Interflora, efo'r nodyn 'Love you Mam, from Mel xx'. Dim byd gan Gareth, fel arfer, gan nad oedd o byth yn cofio am bethau fel penblwyddi. Bachgen oedd o wedi'r cwbl. Wel, dyn yn ei dridegau bellach. A gan nad oedd o a Fiona yn briod eto, doedd dim disgwyl i honno wneud y dasg o gofio am benblwydd ei mam yng nghyfraith.

Efallai y byddai wyrion yn cofio'n well, ond doedd dim golwg o'r rheini gan na Gareth na Meleri eto, mwya piti. Roedd Linda wedi hen roi'r gorau i geisio awgrymu y byddai hi'n hoffi bod yn nain cyn iddi fynd yn rhy hen a musgrell i fedru chwarae cuddio a bownsio plentyn ar ei choes i gyfeiliant 'Ji Ceffyl Bach' drosodd a throsodd.

'Be newch chi rŵan, Mam?' roedd Meleri wedi gofyn pan gaeodd yr ysgol oherwydd prinder plant. 'Mae'n mynd i fod yn andros o sioc i'r system ar ôl dysgu plant bach ers bron i ddeugain mlynedd, tydi?'

A do, mi fu'n goblyn o sioc – i'w system ac i'w hyder wrth gael ei gwrthod am bob swydd driodd hi amdani wedyn. Doedd profiad a ffyddlondeb yn golygu dim, yn amlwg, ac roedd hi'n amlwg fod mwy nag un llywodraethwr yn meddwl fod angen rhoi cyfle i rai ifanc, newydd, llawn egni, a'i bod hi 'wedi cael ei chyfle'.

Roedd hi'n gweld colli'r plant, ond doedd hi ddim yn colli gorfod codi mor fore, na gorfod dal i fynd drwy'r dydd efo plant oedd yn gynyddol swnllyd a bywiog a llawer llai parod i eistedd yn dawel. Plant oedd â mwy a mwy o labeli: dyslecsig, asthmatig, ADHD, a bron bob un ag alergedd o ryw fath neu'i gilydd. Roedd un plentyn yn ei blwyddyn olaf yn cael *migraines* pe bai'n cyffwrdd siocled – ond roedd o wrth ei fodd efo'r stwff! Ac roedd y brifathrawes newydd, wirion 'na gawson nhw yn lle'r hen Idris Roberts druan (chredodd hi 'rioed mo'r straeon amdano fo) wedi dod yn ôl o ryw gwrs yn mynnu mabwysiadu 'Polisi newydd – neb i ddefnyddio balwnau yn y dosbarth byth eto, rhag ofn bod gan rywun alergedd i rwber'. A phawb yn gwybod yn iawn nad oedd gan yr un o'r deunaw plentyn oedd ar ôl unrhyw fath o alergedd i rwber!

Bywyd heb falwnau ... roedd y syniad yn erchyll. Llawer gwaeth na bywyd heb blant bach o'i chwmpas. Ond roedd plant yn esgus da dros brynu balwnau yn y lle cynta.

Tybed a fyddai rhywun wedi trefnu rhai heno? Dechreuodd Linda gynhesu drwyddi wrth feddwl am y peth. Roedd y genod i gyd yn gwybod ei bod yn un am falwnau. Mi fuo 'na dipyn o dynnu coes oherwydd y fyddin o falwnau melyn (i fatsio'r briallu ar y byrddau) yn swper Gŵyl Ddewi Merched y Wawr, a hithau, yn sgil ei swydd fel yr ysgrifennydd, wedi chwythu bob un wan jac ei hun y pnawn pleserus, hyfryd hwnnw. Ac roedd hi'n paratoi rhai coch a gwyrdd i bob cinio Nadolig, wrth gwrs. Roedden nhw'n gwybod yn iawn ei bod hi'n bachu ar bob cyfle i gael balwnau ar bob achlysur posib. Roedd o wedi mynd yn chydig o jôc a bod yn onest. Iddyn nhw.

Doedd hi erioed wedi cyfaddef. Doedd hi ddim yn meddwl y bydden nhw'n deall. Na, gwell peidio â sôn gair wrthyn nhw am yr effaith roedd balwnau yn ei chael arni. Rhag ofn iddyn nhw feddwl ei bod hi'n od. Achos doedd hi ddim, er gwaetha'r ffordd roedd David wedi ymateb pan geisiodd hi ddod â balwnau i'w gwely y tro hwnnw.

'Y? Be uffar ti'n neud, ddynas?' roedd o wedi gofyn pan fentrodd hi osod balŵn fawr, hyfryd, felen ar waelod ei stumog pan ddechreuodd o ddringo ar ei phen hi.

Roedd hi wedi ceisio rhwbio balŵn fechan yn araf i fyny ac i lawr ei godiad yn ddiweddarach, dim ond iddo neidio a gweiddi: 'Rho'r gora iddi, nei di!' A dyna fo. Wnaeth hi ddim mentro eto.

Mae gan bawb ei wendid, meddyliodd. Gwin oedd gwendid Delyth a Helen; allai Gwen ddim mynd i'r Co-op heb brynu o leia dri bar mawr o siocled (roedd hi wedi ei gweld hi'n eu stwffio o dan y llysiau yn ei throli droeon), ac roedd Ceinwen wedi methu'n lân â rhoi'r gorau i'w ffags. A golff oedd gwendid David – y gêm a'r Lady Captain. Mae'n siŵr mai ymarfer ei 'drive' a'i 'bendulum stroke' efo hi roedd o heddiw, eto.

Neidiodd pan ganodd y ffôn. Ceinwen.

'Helô Linda! Jest meddwl o'n i, wyt ti ffansi dod i weld *Fifty Shades Darker* efo'r genod heno? Mae o wedi cyrraedd y pictiwrs acw o'r diwedd, ac oedden ni'n meddwl y bysa fo'n hwyl mynd fel criw!'

Dyma ni. Dyma'r esgus i'w chael allan ar gyfer y syrpréis. Penderfynodd Linda wneud i Ceinwen chwysu chydig.

'Wel ... dwi'm yn siŵr,' meddai'n bwyllog. 'Mi gafodd adolygiada gwael iawn, yn do?'

'Twt! Ers pryd 'dan ni'n cytuno efo adolygwyr? Snobs ydyn nhw i gyd! A mynd am hwyl ydan ni, 'de? Ty'd, neith les i ni! Godwn ni chdi tua saith, iawn?'

Gwenodd Linda wrth roi'r ffôn yn ôl yn ei grud. Doedd Ceinwen 'rioed wedi bod yn un am glywed, heb sôn am dderbyn, unrhyw arlliw o wrthod unrhyw beth. Ffilm wael amdani felly, neu barti o ryw fath yn rhywle. Neu'r ddau. A balwnau, gobeithio. A balwnau go iawn, rhai rwber, call, nid y pethau ffoil, erchyll 'na efo lluniau a sgrifen arnyn nhw, yn sownd i ryw welltyn plastig. Na, doedd y rheini'n dda i ddim. Doedden nhw ddim yn feddal, ddim yn sgwishlyd, ac roedd y ffoil yn rhy drwm iddyn nhw fedru hedfan heb help heliwm.

Dringodd yn ôl i fyny'r grisiau a mynd yn syth at ei drôr arbennig. Gwthiodd ei llaw o dan y casgliad o hen hancesi ei nain, a thynnu'r pecyn allan. Y pecyn a ddaeth drwy eBay ychydig ddyddiau yn ôl: ei hanrheg pen-blwydd iddi hi ei hun. Gallai deimlo ei gwres yn codi yn syth. Gwasgarodd y casgliad o falwnau *latex* amrywiol dros y gwely yn araf. Byseddodd un fawr, goch, ac yna'i chodi at ei boch. Teimlai fel croen oer, hyfryd. Gwasgodd y croen at ei ffroenau ac anadlu'n ddwfn. Roedd hi'n wlyb yn syth. Yna rhoddodd y deth rhwng ei gwefusau a dechrau chwythu ...

Yn y gawod yn ddiweddarach, allai hi ddim peidio ag ail-fyw ei ffantasi: Bryn Fôn a hithau yn noethlymun ynghanol cannoedd o falwnau oddi mewn i'r falŵn enfawr a welodd yn yr Eisteddfod Genedlaethol yn y Fenni, balŵn wedi ei chreu i ddathlu canmlwyddiant Roald Dahl, balŵn fel eirinen fawr wlanog. Roedd hi wedi gwylio nifer o blant a'u rhieni yn mynd i mewn iddi ond heb feiddio mentro i mewn iddi ei hun; gwyddai y byddai'r profiad wedi gwneud iddi ymddwyn mewn ffordd gwbl anaddas i faes y Brifwyl.

Ond roedd hi wedi mwynhau sawl ffantasi a breuddwyd ynddi ers hynny; roedd yr un efo Bryn Terfel wedi bod yn hyfryd, ond Bryn Fôn oedd y ffefryn: y ddau ohonyn nhw'n wlyb a phoeth a'r balwnau yn glynu yn eu cyrff, y ddau ohonyn nhw'n 'hollol, hollol noeth ...' (yn hedfan uwchben y pafiliwn a'r maes carafannau) 'ar y noson ora 'rioed ...' Dechreuodd riddfan eto wrth ddychmygu mai dwylo Bryn Fôn oedd yn mwytho ei chluniau, ei bol a'i bronnau, mai ei fawredd o oedd yn rhwbio'r sebon yn swigod gwlybion rhwng ei choesau. O'r nefi, roedd hi'n dod eto.

Cael a chael fu hi i gael ei hun yn barod erbyn saith, ond roedd ei llygaid yn dal i sgleinio wrth iddi ddringo i mewn i'r tacsi at y genod. Ac wrth gwrs, nid am y sinema yr aethon nhw.

'Pen-blwydd hapus!' canodd pawb wrth ddod i stop o flaen gwesty a fu'n enwog am ei sba ryw ugain mlynedd ynghynt.

'Sesh pampro! 'Dan ni wedi cyrraedd yr oed yna rŵan, yn do,' chwarddodd Ceinwen.

Er bod rhai o'r teils yn rhydd a'r tywelion braidd yn hen, roedd y pwll a'r *jacuzzi*, y *sauna* a'r stafell stemio yn sicr yn braf tu hwnt, yn enwedig efo'r llif o brosecco oer mewn gwydrau hirgoes. Felly hefyd y pryd bwyd oedd yn canolbwyntio ar flas y saig yn hytrach na'i faint.

'Mae'n oreit,' meddai Gwen ar ôl llyncu ei llond ecob o *vacherin de mangue avec* briwsion gwyrddion o ddail basil, 'mae gen i bacad o Jaffa Cakes yn llofft os fyddwn ni'n dal i lwgu nes 'mlaen.'

'A rŵan, yr *entertainment*!' gwichiodd Delyth, oedd yn amlwg â mwy o brosecco na gwaed yn llifo drwy ei gwythiennau bellach. 'Yn sbesial i ti, Linda!'

Curodd y genod eu hewinedd acrylic ar wyneb y bwrdd fel math o gyflwyniad drym-rolaidd wrth i Ceinwen agor llenni'r drws i'r cyntedd gyda 'Ta-raaaa!' dramatig. Daeth dyn canol oed mewn siwt a dici-bo i'r golwg, yn tynnu cês ar olwynion y tu ôl iddo.

O, na, doedd o ddim yn mynd i stripio, doedd bosib, meddyliodd Linda. Roedd y dyn tân gawson nhw ar gyfer parti 50 Delyth wedi bod yn embaras pur. Llyncodd ei phoer a cheisio gwenu. Gwyddai fod pawb yn ei hastudio'n fanwl i weld be fyddai ei hymateb.

Doedd hwn ddim yn foi mawr nac yn gyhyrog, ond roedd ganddo wyneb digon derbyniol. Gwenodd yn nerfus arno a gwenodd yntau'n ôl arni'n glên, cyn dechrau agor ei gês. Clywodd ei hun yn gwichian mewn syndod wrth ei weld yn tynnu allan – o, haleliwia a diolch i'r drefn – lwyth o falwnau! Clapiodd ei dwylo fel plentyn pump oed.

'Ia, Linda, dyma i ti Moi, y Boi Balŵns!' chwarddodd Ceinwen. 'Oeddan ni i gyd yn gwbod amdanat ti a dy falŵns, felly be well, 'de?'

Dechreuodd calon Linda guro'n wyllt. Doedden nhw ddim yn gwybod bob dim amdani hi a'i balŵns, doedd bosib? Nag oedden siŵr, gwybod ei bod hi'n eu hoffi nhw roedden nhw. Yn gweld y sglein yn ei llygaid a'r wên ar ei gwefusau. Dyna i gyd.

Allai hi ddim peidio – rhedodd ei thafod yn ysgafn dros ei gwefusau. Roedd y Moi yma yn gallu trin balwnau. Roedd o eisoes wedi gwneud ci bach syml allan o'i falwnau hirion, tenau, a rŵan roedd ar ganol gwneud mwnci, a'r balwnau yn gwichian wrth i'r rwber gael ei wasgu a'i droi a'i blygu, weithiau'n tynnu gwynt o gyflym, weithiau'n tynnu coes o araf, ond y cyfan mor hynod gelfydd. Roedd Moi yn rêl boi efo balwnau, yn feistr ar ei falŵns. Byddai'n codi ei ben o'i blygu weithiau i wenu ar ei gynulleidfa, ond yn enwedig ar Linda.

Roedd ei chalon yn rasio rŵan, cledrau ei dwylo yn boeth a chwyslyd, ei stumog yn tynhau a'i thethau yn caledu o dan ei blows (Debenhams) Browns of Chester.

Allai hi ddim tynnu ei llygaid oddi ar ei ddwylo a'i fysedd canu piano hirion, bysedd crefftwr, bysedd roedd hi'n ysu am eu teimlo yn ei byseddu a'i chanu hi fel *baby grand*. Bysedd fyddai'n cyrraedd y mannau lle na lwyddodd David i'w cyrraedd yn iawn erioed.

Roedd o wedi gwneud het iddi rŵan, ac yn ei gosod ar ei phen, a static y rwber yn codi blew ei phen a'i gwar a'i breichiau. Yn pingian. Yn drydan. Yn drydanol. A'i chorff yn crynu. Tu mewn yn ogystal â thu allan. A'i lygaid yn pefrio i mewn i'w bod, ei henaid, ei dyfnderoedd dyfnaf.

Gwlychodd ei gwefusau gyda'i thafod eto.

A rŵan, ar ôl rhoi gwên ddireidus, ddrwg iddi (roedd o'n gwybod yn iawn sut effaith roedd o'n ei chael arni, y diawl drwg, hyfryd, dawnus iddo fo), roedd o wedi gwasgu a throi a phlygu balwnau piws llachar yn bâr o geilliau a gwialen benbiws anferthol, sgleiniog (go brin ei fod o'n gwneud pethau fel'ma ar gyfer partïon plant) ac yn ddynes binc efo bronnau mawr a gwefusau cochion – ar ei hwyneb a rhwng ei choesau. O, Moi, meddyliodd; mae hynna mor blentynnaidd. Gwirion. Hurt bost.

Ond roedd y genod yn sgrechian chwerthin o'u cwmpas, yn amlwg yn meddwl bod y peth yn hynod ddigri. Mae'n siŵr bod eu sgrechian yn ddigon i hollti penglog rhywun, ond roedd Linda a Moi y Boi Balŵns mewn byd ar wahân, mewn swigen fawr, feddal; doedd sŵn y byd tu allan ddim yn glir o gwbl. Roedd o fel bod dan ddŵr.

Allai hi ddim peidio â rhoi gwên ddireidus, ddrwg yn ôl iddo. Roedd o'n gwybod ei bod hi'n gwybod sut effaith roedd o'n ei chael arni; roedd o'n gwybod yn iawn ei fod o'n ddiawl drwg, hyfryd, dawnus. Roedd o yn y swigen efo hi. Roedd o isio hi.

Doedd ganddi ddim syniad faint barodd y sioe, ond erbyn iddo ddod i uchafbwynt y diweddglo, roedd hi'n wan. Doedd fiw iddi geisio codi, byddai ei choesau'n rhoi oddi tani. Gallai deimlo'r gwaed yn dirgrynu yn ei chlitoris, a gwyddai, petai o ddim ond yn anadlu arni, y byddai'n ffrwydro.

Roedd y lleill yn cymeradwyo a gweiddi ac yntau'n ymgrymu o'u blaenau, yn derbyn eu diolch yn ffug-wylaidd. Clywodd Ceinwen yn mynnu ei fod yn aros i gael diod efo nhw ac yn gofyn be gymerai o, a'i lais yn ateb, 'Peint o Guinness 'ta.' Gwin y gwan. Roedd hi'n wan ac roedd hi angen gwin. Roedd 'na wydraid o'i blaen. Yfodd o ar ei thalcen a gweld ei fod o wedi ei gwylio yn ei glecio. Ac roedd ei lygaid o'n gwenu. Roedd o'n gwybod. Yn gwybod yn iawn.

Doedd ganddi ddim syniad sut ddigwyddodd o, ond roedd y ddau ohonyn nhw yn y cyntedd, a'r lleill i gyd yn dal i ruo yn y bar, ac roedd ei gês o falwnau ganddo fo ac roedd o'n cydio yn ei llaw a'i harwain at ei gar o – naci, ei fan o – efo 'Moi y Boi Balwnau' yn biws ar hyd yr ochrau. Tu mewn, roedd y cefn fel lolfa daclus efo matras oedd yn soffa ac yn wely a llwyth o falwnau mawr, amryliw. Ac wedi iddyn nhw eu dau ddringo i mewn, roedd o'n cau'r drws y tu ôl iddyn nhw ac yn agor ei gês a'r balwnau yn llithro allan, ac roedd y dill. wedi llithro oddi arni, ac oddi arno fo, ac roedden nh eu dau yn noeth, eu croen yn cyffwrdd croen cynnes ê gilydd a chroen oer, rwber y balwnau, ac roedd hi'n crynu drosti, yn ysu amdano. Roedd o'n ei chusanu, yn ei brathu, yn cydio yn ei hwyneb fel petai o wedi bod yn disgwyl amdani ers canrifoedd. Roedd rhywun yn griddfan. Efallai mai hi oedd wrthi.

Roedd ei fysedd canu piano hirion drosti, ynddi, ac yn, a thros, y balwnau; roedden nhw, roedd hi, yn gwichian wrth gael eu gwasgu a'u troi a'u plygu, weithiau'n tynnu gwynt o gyflym, weithiau'n tynnu coes o araf, a'r cyfan mor hynod, hynod gelfydd.

Yna, mwya sydyn, ond ddim yn rhy sydyn, roedd o'n gwneud y pethau rhyfedda iddi efo'r wialen rwber biws, ac yna, efo'i wialen galed o, nes ei bod hi'n ochneidio ac udo a methu cymryd mwy am chydig, plis, ac wedyn roedd o yn griddfan a thuchan, ac wrth ei fodd efo'r pethau roedd hi'n gallu eu gwneud efo'i geilliau o a'r drysorfa o falwnau oedd yn llithro a rhowlio a bownsio o'u cwmpas.

Dyma, o'r diwedd, ei nefoedd: un munud, roedd ei hwyneb yn ddwfn mewn rwber, a'r arogl yn llenwi ei ffroenau nes bod ei phen yn hedfan, yna'r munud nesaf, ei phen-ôl oedd yn suddo i goflaid o gyfoeth latexaidd, a'i dwylo'n llawn o'i ben-ôl bach, tyn o, a'r balwnau yn gwichian oddi tani, a'r gwichiadau yn cyflymu ac arafu yn ôl ei rythmau o a'i rhythmau hi, a'r rwber yn hyfryd ar ei chroen hi a'i groen o, ac yn glynu wrth iddyn nhw chwysu a gwlychu, ac yn gwichian fwyfwy, ac yn ffrwydro – wrth iddyn nhw eu dau ffrwydro – un ffrwydriad mawr yn ei achos o, a ffrwydriadau oedd yn dal i ddirgrynu am yn hir yn ei hachos hi.

Gwenodd Linda, gan daeru bod sŵn ei chalon yn curo yn atseinio yng nghefn y fan. Roedd o wedi bod yn berffaith. Roedd o'n berffaith. Roedden nhw'n berffaith i'w gilydd.

'Hir yw pob ymaros,' meddyliodd, 'ond 'rargol, roedd

hi'n werth aros am hyn! Mae bod yn 60 yn mynd i fod yn blydi grêt …'

Ond roedd Moi angen mynd adre at ei wraig.

'Bechod hefyd,' meddai Moi, wrth chwilio am ei drôns, 'fuodd hi 'rioed yn un am falŵns. 'Nes i drio, ond mae'n deud bod "y blydi petha'n mynd ar 'y nyrfs i!" Dydi hi methu diodde'r sŵn gwichian am ryw reswm.'

Doedd Linda ddim yn siŵr sut i ymateb.

'Damia, 'de,' meddai Moi, wrth dynnu ei drowsus yn ôl amdano. 'Mae pobol fatha chdi a fi yn brin, 'sti. *Looners*. Lwniaid yn Gymraeg, mae'n siŵr, 'de? Ac mi wyt ti'n chwip o lwnar.'

Dyna'r tro cyntaf i Linda glywed bod enw am ei gwendid.

'Lwnar? Dyna be ydw i?'

'Arch-lwnar ddeudwn i, Linda. O'n i'n gallu deud yn syth, y funud welest ti mai balŵns oedd gen i. Bechod na fysan ni wedi gallu cyfarfod cyn hyn, 'de? Y ddau ohonan ni'n styc efo pobol sy jest ddim yn dallt.'

Yn hollol, meddyliodd Linda, a phenderfynu mynd amdani:

'Ond,' meddai, 'ond does 'na'm rhaid i ni fod yn styc efo nhw, nag oes? Ddim y dyddia yma.'

Oedodd Moi, er mwyn deall yn union beth roedd hon yn ei feddwl, ac er mwyn gallu meddwl am ei ateb, cyn ateb.

'Nag oes … ond mae gen i blant sy'n dal yn yr ysgol. A dwi yn ei charu hi – er ei bod hi'n casáu 'malŵns i.'

'O.'

Wel, dyna ddiwedd ar y freuddwyd yna. Pìn yn ei balŵn, go iawn. Brwydrodd Linda i beidio â gadael i'r dagrau lifo.

'Ond dwi'n gêm i neud hyn eto … os wyt ti,' meddai Moi gyda gwên troi bol yn bwdin o ddrwg.

'Be? Cael affêr?'

'Wel … ia. Os nad ydi o yn erbyn dy grefydd di.'

Ystyriodd Linda'r syniad wrth estyn am ei bra. Doedd hi ddim yn credu mewn twyllo. Ond roedd David yn ei thwyllo hi efo'r Lady Captain. Ac nid ei bai hi oedd o bod gwraig Moi yn casáu balwnau.

Rhoddodd rif ei ffôn symudol iddo. A rhoddodd yntau ei gerdyn busnes piws iddi. 'Moi y Boi Balwnau – The Balloon Man Can.'

'Wyt ti'n rhoi gwersi?' gofynnodd Linda.

'Be? Be i neud efo balŵns?! Dwyt ti'm angen gwersi, del!'

Gwenodd Linda'n ddel arno.

'Naci, sut i neud anifeiliaid a ballu efo nhw, stwff parti.'

'Ooo. Wela i. Gwersi un i un? Dim problem!' gwenodd Moi.

Ac wrth ei wylio'n gyrru i ffwrdd i'r nos at ei wraig, gwyddai Linda i ba gyfeiriad y byddai ei gyrfa yn mynd. Os nad Moi oedd yr un, roedd 'na bobol eraill fel hi allan yna yn rhywle. Pobol o'r un anian. Rhywun oedd wedi cael ysgariad, efallai, rhywun fyddai mewn parti efo'i blentyn, neu isio parti i'w blentyn. A phwy a ŵyr, efallai rhywun oedd yn edrych fel Bryn Fôn.

Tragwyddoldeb

Sonia Edwards

Roedd Morwenna'n hŷn. Yn y chweched dosbarth pan gychwynnais i ar fy mlwyddyn gyntaf. Anghyfreithlon, basa? Yn yr oed hwnnw. Ond chysgais i ddim efo hi nes o'n i'n ddeunaw. Gwna'r maths. Mi wnaeth hynny bethau'n ocê. Dim ond ei fod o'n fwy nag ocê. Wel, i mi, beth bynnag. Y trefniant oedd gynnon ni. Y rhyw. Hi ddangosodd i mi be i'w wneud. Sut i wneud. Fy Maggie May fy hun. Hi chwaraeodd y gân honno i mi hefyd, drosodd a throsodd, nes bod y tâp yn yr hen beiriant casét a llais Rod Stewart yn crygu fel ei gilydd.

Hyd yn oed wedi i mi basio'r test, fel petai, a mynd allan i bractisio ar fy liwt fy hun, yn ôl at Morwenna y down i bob tro. Pan o'n i'n unig, neu'n bôrd. Neu'n dympd. A doedd yna ddim cenfigen; doedd hi byth yn ymddangos yn jelys o'r un o'r lleill. Y genod fengach, teneuach, delach na hi a oedd wedi comandîrio nghalon i – a phopeth arall – dros dro. Roedd hi'n gysur, yn fronnog ac yn feddal fel hen gadair freichiau. Roedd yna ddigon ohoni a doedd ganddi ddim cywilydd o hynny. Ei diffyg swildod oedd yn fy rhyddhau innau. A doedd hi'n disgwyl dim yn ôl: gadawai i mi sugno'i bronnau hi nes bod ôl fy ngharu creulon yn boeth arnyn nhw fel gwrid. Am ei bod hi'n ddoeth; yn gadael i mi feddwl mai fi oedd yn rheoli; yn deall dyn. Fy mhleser i oedd ei gwobr hithau.

Rŵan, pan dwi'n edrych yn ôl ar yr holl gachfa a wnes i o fy mywyd, dwi'n sylweddoli mai Morwenna oedd un o'r pethau gorau ynddo fo. Wyddwn i ddim, ar y pryd, mai'r hyn oedd rhyngon ni go iawn oedd cariad. Yr hen dynfa honno, yr hiraeth cyfarwydd yn fy hudo i adra fel colomen rasio. Ambell waith (neu'n aml ar y diawl, taswn i'n fanwl gywir ac onest!), mi gollwn i'r ffordd yn ôl, a mynd i glwydo am sbel ar sìl ffenest rhywun arall. Mi fydda i'n meddwl weithiau, yn ystod yr oriau prin hynny o fyfyrdod dwys sy'n dod yn sgil gwagio'r hyn sydd gen ti'n weddill o'r Penderyn, bod lot fawr ohonan ni ddynion yn debyg uffernol i golomennod. Yn dewis y ffordd hir, gymhleth tuag adra nes bod cofio am bwysau'r fodrwy yn ein tynnu ni'n ôl. Nid fy mod i erioed wedi rhoi modrwy i Morwenna. Erioed wedi ystyried y posibilrwydd prinnaf. Efallai y dylwn i fod wedi gwneud hynny. Efallai mai dyna'n union lle'r es i'n rong. Gwrando ar fy mhen. Gwrando ar athrawon. Gwrando ar Mam. Pawb yn gwybod, tydyn, bod gwrando ar dy galon yn dy arwain i ddistryw? Felly mi benderfynais osgoi hynny. Biti na fyddwn i wedi osgoi gwrando gormod ar y botel hefyd: mae honno'r beryclaf o bob meistres yr eiliad ti'n gweld ei thin hi drwy'i cheg hi.

Nid gor-ramantu ydi dweud mai'r haf hwnnw pan oeddwn i'n ddeunaw oed oedd haf gorau fy mywyd i. A doedd gan y tywydd braf ddim oll i'w wneud â'r peth.

Roedd medru cefnu ar yr ysgol yn fendigedig o ddi-droi'n-ôl bryd hynny, fel cael fy chwydu allan o berfedd morfil: roeddwn i wedi caniatáu iddyn nhw fy mherswadio i i aros i wneud lefel A, wedi amsugno'r holl ffeithiau roedden nhw'n eu stwffio i fy mhen i, wedi plesio Mam a dioddef coegni-coc-oen Tudur Geog am ddwy flynedd. Fasai neb yn gallu fy ngorfodi i roi eiliad arall o fy mywyd i'r lle, a hynny am y rheswm symlaf yn y byd: roeddwn i'n rhy hen erbyn hynny iddyn nhw allu fy nghymryd i'n ôl.

Roedd yna dri pheth arall a roddodd hud arbennig i'r haf hwnnw, a'r cyntaf ohonyn nhw oedd cael joban hefo Elis Bwtsiar. Ym meddwl fy mam, fy nghadw fi allan o drybini dros gyfnod gwyliau'r haf oedd y bwriad wrth fy ngyrru i at Elis, ond i mi roedd y profiad o ennill fy nghyflog fy hun am y tro cyntaf yn fwy o hwb i fy hunanhyder nag unrhyw ruthr o destosterôn. Hynny'n ogystal â chael dreifio'r fan. A dyna ddod â fi at ail uchafbwynt yr haf: pasio fy mhrawf gyrru ar ddiwrnod cynta'r gwyliau. Dwi'n sicr mai hynny a'm rhoddodd ar flaen y rhestr gan Elis Bwtsiar fel y boi gorau ar gyfer y job, ac nid y ffaith fod ei wraig o'n mynd i gyfarfodydd Merched y Wawr hefo Mam. ('Gesh i air bach yng nghlust Musus Elis Bwtsiar ar ôl y *cross stitch* neithiwr. Dynas smart. Sgidia Clarks am ei thraed hi bob amsar. Ma' na waelod i bobol fela, yli.') Gadewais i Mam gael ei hawr, ond dwi'n grediniol mai fy ngallu i yrru'r fan er mwyn danfon cig i gwsmeriaid ddaru glinsio'r dîl, ac nad oedd gan 'waelodion' gwraig Elis Bwtsiar ddim oll i'w wneud â'r trefniant.

Roeddwn i ar ben fy nigon. Doedd seithfed nef ddim ynddi. Breuddwyd pob un o'r hogia oedd cael car cyn gynted â phosib ar ôl pasio'i dest. Yr hogia hefo'r ceir oedd yn cael y genod. No brênar. A chan amlaf, meibion ffarmwrs oedd y rheini o achos bod gan y ffernols faniau'n barod, doedd? Oedd, mi oedd yna ogla Jeyes Fluid a ffid moch ynddyn nhw, ond at ei gilydd roedd hogan yn fodlon diodda hynny er mwyn cael sbario mynd i'r fflics ar y bỳs. Pres oedd y broblem i'r rhan fwyaf ohonan ni. Felly roedd yn rhaid cael joban yn gyntaf ac wedyn dechrau hel i gael olwynion. Roedd hynny'n cymryd amser. A dyna sut yr hitiais i'r jacpot hefo'r job yn Siop Elis: arian yn fy mhoced a fan ar yr un pryd. Roeddwn i'n mêd.

A'r trydydd peth? Fasai hi ddim yn hollol gywir i mi ddweud mai'r trydydd uchafbwynt oedd bod yn ddigon hen i fynd am beint o achos fy mod i wedi bod yn gwneud hynny'n barod, a minnau wedi troi'n ddeunaw ers canol Ebrill. Ond y ffaith fy mod i wedi mynd i'r Hart am hanner sydyn yn gynnar rhyw bnawn Iau i ddathlu fy mod i'n cael haff-dê a barodd i mi daro ar Morwenna. Roeddwn i'n gwybod pwy oedd hi, wrth gwrs, fel mae pawb sy'n byw mewn pentref yn nabod ei gilydd. Digon i ddweud helô wrth basio. Roedd hi'n un o'r genod hŷn, yn chwarae mewn lig arall, a finna ddim ond newydd beidio â bod yn hogyn ysgol ers cwta bythefnos. Er ei bod hi'n byw yn yr un pentref, doedd hi ddim yn byw yn yr un byd â fi, ac roedd y ffaith ei bod hi wedi gadael yr ysgol ar ôl blwyddyn yn y Chweched a gwrthod sefyll ei harholiadau er mwyn dilyn rhyw gariad neu'i gilydd i Lundain wedi sicrhau lle pendant, os nad fymryn yn amheus, yn chwedloniaeth yr ardal i Morwenna Ty'n Llan.

Adra'n ôl y daeth hi, wedi blwyddyn neu ddwy yn y

ddinas fawr. Roedd y cariad hirwallt y dihangodd hi hefo fo – drymar mewn band roc, meddan nhw, ac mae'n bur debyg bod y diffyg siw na miw amdano byth wedyn yn dyst i'r ffaith na hitiodd o erioed mo'r big taim wedi'r cwbl – wedi'i gadael hi'n fuan wedyn, yn ôl pob sôn, ac yn lle rhedeg adra mewn cywilydd cafodd Morwenna hyd i waith fel nani hefo rhyw deulu go gefnog. Yn ôl rhai o genod yr ardal, a Helen, fy chwaer innau, yn eu plith, drwy fyw yn fanno y cafodd Morwenna hyd i'w *fashion sense*. Ac roedd hi'n wahanol yn hynny o beth, rhaid cyfaddef: ei gwallt hi'n hirach ac yn sythach nag un pawb arall, ei cholur yn berffeithiach. Roedd hyd yn oed rhyw lefnyn di-ddallt fel fi'n gallu gweld hynny. Gwisgai'r un math o ddillad â genod eraill yr ardal a oedd yn ymwybodol o ffasiynau'r oes, ond gan roi rhyw dwtshys bach personol iddyn nhw fel torchi llewys, codi coleri pethau, cymysgu lliwiau a thorri rheolau ac yn raddol bach dechreuai ambell un o'r lleill ei hefelychu hi. Pan ddechreuodd Morwenna wisgo sgert hir flodeuog hyd at ei thraed, aeth sawl un o'r genod lleol eraill ati, fesul un ac un, i gael gafael ar un debyg. Dwi'n cofio Helen a'i ffrind yn mynnu mynd i Fangor rhyw ddydd Sadwrn drwy dywydd garw i chwilio am fŵts uchel sgleiniog ar ôl gweld pâr gan Morwenna Ty'n Llan.

Felly mi fu hi yno erioed. Morwenna. Yn rhan o'r llun nad oeddwn i cweit wedi edrych yn ddigon hir arno i'w chynnwys hi fel rhan o fy myd go iawn. Tan yr amser cinio hwnnw. Roedd tafarn y White Hart yn gwagio'n raddol a hithau'n tynnu tuag at derfyn ei shifft. Roedd rheolau trwyddedu'n wahanol bryd hynny, a thafarnau'n cau cyn tri yn y pnawn. Dim ond diferion o'r haul tu allan oedd yn gadael eu holion yn gylchog ar y byrddau coed tywyll, yn gwau eu sglein yn gelfydd drwy'r cylchoedd gwlybion a adawyd gan y gwydrau cwrw.

'Ma' gin ti ddeng munud,' meddai hi, godre'i gwallt syth hi fel lliain wedi'i smwddio.

Dyna'r geiriau cyntaf ddywedodd hi wrtha i. Aethon nhw'n jôc wedyn, ac mi fedri di ddyfalu ynglŷn â be, wrth i ni ddod i nabod ein gilydd. Ymhen dyddiau wedyn, mi gyfaddefodd ei bod hi wedi bod yn fy llygadu fi ers tro o gornel pella'r bar. Roeddwn i fel fersiwn ifanc o Burt Reynolds, medda hi. Heb y mwstásh.

'Welist ti *Smokey and The Bandit*, do?'

'Honna efo'r tsiêsus ceir, ia?'

'Mi aethon nhw drwy ddeuddeg o geir yn gneud y ffilm na, 'sti.'

'Taw deud. Mond i chdi beidio disgwl i mi neud yr un peth yn fan Elis Bwtsiar.'

A dyna hi. Yn fy niniweidrwydd mi rois i'r pic-yp lein berffaith iddi.

'Ond mi fedri di roi lifft adra i mi ynddi, siawns? Dwi'n gorffan gweithio rŵan.'

Fel'na y dechreuodd pethau. Ganrifoedd yn ôl pan oedd Bo 'Bandit' Darville yn ifanc yn ei drowsus tyn a'r pybs yn cau yn y pnawn. Pan oedd ceir yn anymarferol a'r dillad yn ddiawledig. Pan nad oedd yna'r fath bethau â mobeil ffôns a therapi. Efallai'n bod ni i gyd wedi bod yn well hebddyn nhw. Mae gen i therapydd heddiw, a'r iPhone diweddaraf, ond dydi'r un o'r ddau'n fy ngwneud i'n hapus. Dwi ddim yn credu fod unrhyw beth erioed wedi fy ngwneud i'n hapusach nag yr oeddwn i'r haf hwnnw pan ddechreuais i ddysgu byw.

Mae Burt Reynolds newydd farw. Roedd o ar y niws neithiwr. Mi soniwyd am y ffilm honno. Burt Reynolds a Sally Field. Hi oedd Yr Un, medda fo. Ac mi adawodd iddi fynd. Cael ei ddallu gan sglein y bywyd bras. Yr hei leiff a'r mercheta. Enaid hoff cytûn. Dim ond na fu gen i erioed fwstásh. Mae'r botel wisgi'n wag, a'r gwydryn yn wag, y cylch ar ei ôl ar y bwrdd fel haul bychan bach. Yn mynd â fi drachefn i far yr Hart rhyw bnawn Iau fywydau maith yn ôl, pan oedd punnoedd yn bapurau gwyrddion a'r waled ym mhoced tin fy jîns yn gwneud i mi deimlo'n ddyn.

Efallai mai da o beth ydi hi nad oes gen i ddiod arall o fy mlaen. Mae gen i briodas i fynd iddi fory. Huw. Un o'r hogia sy'n gweithio i mi. Wel, mwy na hynny. Fo sy'n rhedeg y swyddfa acw. Boi iawn. Galluog. Dibynadwy. Faswn i ddim wedi medru gwneud hebddo fo'r dyddiau diwethaf 'ma, nid a finna wedi aros adra fel hyn. Mi geith ddyrchafiad gen i'n o fuan, a hynny'n gwbl haeddiannol. Rheolwr rhanbarth. Y munud y ca' i drefn arna i fy hun. Tynnu 'mhen o 'mhlu. Ia, da rŵan. Pardyn ddy pŷn, 'de? Plu. Yr hen dderyn. Yr hen g'loman o hyd. Wedi colli'r ffordd go iawn erbyn hyn, yn do? Mae yna waith dygymod rŵan. Derbyn. Mae hi wedi bod yn hunllef o wythnos. Efallai mai dyna pam dwi'n yfed cymaint. Na, does dim 'efallai' ar ei chyfyl hi, nac oes? Dyna'n bendant pam dwi'n yfed. I anghofio. I gofio. Dyna pam dwi'n gwahodd ddoe yn ôl. Symlrwydd ers talwm. Yr haf hefo Morwenna ynddo. A'r unig ofn bryd hynny oedd pasio fy arholiadau, oherwydd y byddai hynny'n golygu'i gadael hi.

'Paid â malu cachu,' medda hithau. 'Mond i Fangor ti'n mynd!'

A ninnau'n gorwedd o dan ei chynfasau hi, yn dal y tamaid papur tenau i'r golau nes fod y canlyniadau lefel A yn nofio ar y cefndir tryloyw, yn gadarn a bregus ar yr un pryd, fel glöyn byw. Dywedodd wrtha i am neidio i'r cyfle. Dywedodd y cawn i hwyl. Cyfarfod pobol newydd. Roedd hi'n iawn. Ond nid dim ond pobol. Roedd yna genod eraill. Rhai oedd yn amlwg yn fy ffans o i.

'Dos amdani,' medda Morwenna. 'Dydi hi ddim fel pe baen ni'n gariadon go iawn, nac'di?'

Ac oedd, roedd hynny'n wir. Rhywbeth cyfrinachol oedd ein perthynas ni. Rhywbeth roedden ni wedi cytuno i'w guddio heb i'r un o'r ddau ohonan ni orfod yngan gair. Fel'na roedd pethau. Rhoddodd gusan hir i mi a oedd yn cyrraedd eithafion fy mod.

'Ac mi fydda inna'n dal yma. Ti'n gwybod lle i gael hyd i mi.'

A dyna a ddigwyddodd. Anghofiais am Morwenna'n boenus o hawdd wrth i mi hwylio drwy un berthynas, ei dryllio a glanio yn y nesaf yn gymharol ddidramgwydd. Neu dyna a feddyliwn. O edrych yn ôl mi lwyddais i frifo pawb, ar wahân i mi fy hun. Ychydig a wyddwn mai ymhen blynyddoedd y deuai fy nhro i.

Roedd fy nyddiau coleg yn bopeth y dymunwn iddyn nhw fod: êl, genod, ambell i draethawd, llai o gyfrifoldebau nag a fu gen i erioed. Dod adra dros y gwyliau a dychwelyd i freichiau Morwenna. Bu bron i bethau fynd yn flêr rhyngon ni pan ddarganfyddais fod ganddi hithau gariad a'i bod hi'n parhau i'w weld o tra fy mod i ym Mangor.

'Ti erioed yn disgwl i mi fod yma'n aros amdanat ti fatha lleian, a chditha'n hel merchaid dros y bont 'na, nag wyt?'

Unwaith y des i dros y pwl cyntaf hwnnw o genfigen, mi weithiodd y trefniant rhyngon ni unwaith yn rhagor. A doedd y cariad newydd ddim yn fygythiad, p'run bynnag. Wel, nid yn ôl ei olwg: rhyw gochyn bychan, gwelw; mwy o floneg nag o falchder. *No contest.* Ac roedd Morwenna'n iawn, yn doedd? Roedd hi'n deg iddi gael rhywun tra fy mod i i ffwrdd. Dysgais lacio fy ngafael arni'n emosiynol bryd hynny, pe bai hynny ddim ond rhag ofn i'r holl deimladau cymysg oedd gen i fy mwyta i'n fyw. Efallai mai dyna'r tro cyntaf i mi sylweddoli bod modd rhoi teimladau mewn bocs yn rhywle'r tu mewn i mi a'u cadw dan glo rhag iddyn nhw ymyrryd hefo'r pethau roeddwn i'n eu hystyried yn bwysicach bryd hynny. Fel y dywedais i, mae gen i therapydd rŵan.

Roedd Morwenna a fi'n debycach i'n gilydd nag yr oedden ni'n fodlon ei gyfaddef, yn caru pan godai'r cyfle, yn anwybyddu pob egwyddor. Doedd dim rheolau, dim ond ufuddhau i chwant. Roedden ni'n byw i'r funud, i'r eiliad, ac ar yr un pryd yn disgwyl y byddai hyn yn parhau rhyngon ni am byth. Llwyddiant ddaru'n gwahanu ni. F'un i, am unwaith. Dau-dau mewn Daear-yddiaeth a chael tynnu fy llun mewn gwisg Batman yn dalcian i gyd dan y cap hoelen sgwâr 'na. Dic hed ffor ê dê, a balchder Mam yn fwclis yn ei llygaid hi. Mi briododd Morwenna hefo'r cariad y bu hi'n ei dwyllo ers tair blynedd ac es inna ymlaen at bethau gwell. Neu dyna feddyliais i. Yn fòs ar fy nghwmni fy hun, do, dwi wedi'i gwneud hi'n iawn o safbwynt ariannol. Ond mae hynny oherwydd fod gen i well perthynas efo fy ngyrfa nag efo unrhyw ferch. Dwy briodas i lawr y pan, a'r cyn-wragedd oedd yn cael y bai. Yn cael popeth ac yn dal i weiddi am fwy. Ond mae hi wedi cymryd tan rŵan i mi sylweddoli mai gen i oedd y broblem. Wedi cymryd trip i Iwerddon, gormod o Guinness a noson efo hogan hanner fy oed i sylweddoli o'r diwedd fy mod i'n trin merched fatha shit.

Mae deall fod gen ti HIV fatha cael dy hitio hefo gordd. A na, nid canlyniad i'r noson feddw honno yn Nulyn mo hyn chwaith. Roedd gen i apwyntiad doctor wedi i mi ddychwelyd i drafod canlyniadau'r profion gwaed ges i wythnos ynghynt. Yr M.O.T. blynyddol. Os oeddwn i'n disgwyl winc gyfeillgar a phregeth am golestrol, cefais fy siomi:

'Dylech drio cysylltu â phawb rydach chi wedi cael rhyw efo nhw'n ddiweddar,' medda fo.

Nodwyddau. Tas wair. Gwalltiau dienw ar obenyddion diarth. Difaru na faswn i wedi byw fatha Dewi Sant. Meddyliais am y ferch o Fôn ar y trip parti iâr na welwn i byth mohoni eto. A llyncais y cyfog oedd yn suro fy ngwddw i.

'Dydi o ddim yn ddedfryd marwolaeth,' meddai'r doctor drachefn.

Nac'di ffwc, meddai fy wyneb inna. Ei eiriau'n siwgro'r bilsan a'i lygaid yn fy ngheryddu am hel fy nhin. Mi dreuliais weddill y bore mewn rhyw fath o berlewyg uffernol nad oedd yna ddiawl o ddim byd yn bêr yn ei gylch o. Isio yfed a methu oherwydd fy mod i'n gwybod bod angen imi fynd tu ôl i'r llyw. Mi es i'n ôl i'r gwaith yn teimlo fel corff, a dweud wrth bawb fod gen i'r ffliw. Mynd adra'n gynnar i gogio swatio. Addo i Huw y gwnawn i fy ngorau i fod yn y briodas ymhen tridiau. Fawr o ddewis. Mae o'n weithiwr da. A hithau'n argyfwng arna i, a finna wedi gorfod mynd adra, roeddwn i'n gweld yn syth na fedrwn i ddim gwneud

hebddo fo ... Boi iawn. Galluog. Dibynadwy. Pender-
fynais y câi o ddyrchafiad gen i'n o fuan, a hynny'n gwbl
haeddiannol ... Rhyw fath o anrheg priodas ychwanegol
... unwaith y byddwn i'n cael trefn arı ● i fy hun ...

Mae dydd Sadwrn wedi mynnu gwthio'i anadl i fy
wyneb i cyn i mi ddeffro'n iawn, yn landio ar flaenau'i
draed fatha Santa Clos Sbaen yn dod â thywydd braf
efo fo. Haul ar y fodrwy. A fedra i yn fy myw ddim peidio
â meddwl am golomennod rŵan wrth feddwl am
fodrwyau. Wn i ddim be ydi o: twtsh o nerfau, twtsh o'r
lleuad efallai? O achos dwi wir yn teimlo fel pe bawn i'n
colli fy mhwyll go iawn. Teimlo fel pe bawn i'n llofrudd.
Y Gwenwynwr Mawr. Mae'r syniad yn ddinistriol. Yn fy
ninistrio i fel dwi wedi dinistrio eraill. A'r cyfan yn enw
pleser. Chwant. Byw yn yr eiliad. Erbyn hyn, mae pob
eiliad yn damaid bach o dragwyddoldeb. Uffar o air.
Gair capal. Gair ers talwm. Cofio fy nhad yn dweud
rhyw dro bod rhywun wedi gofyn i Danial Jôs
Gweinidog ddiffinio Tragwyddoldeb. 'Chwynnu cae
rwdins, 'machgen i,' medda fo. Da. Ffraeth. Doniol, hyd
yn oed. Does yna ddim byd yn ddoniol yn yr hyn sydd
gen i chwaith. Mi chwynnwn i ugain o gaeau rwdins ar
ôl ei gilydd taswn i'n medru cael madael arno fo. Yn cael
madael ar yr hyn dwi wedi'i wneud i dduw a ŵyr pwy
arall.

Mae fy mherfedd i'n gwrthod dadmer, ond dwi'n cael
hyd i fy siwt. Yn cael hyd i oriadau'r car. Cael hyd i'r
eglwys. Cael hyd i le parcio. Cael hyd i fy lle yn y
gynulleidfa a chael hyd i fasg o wên er mwyn gallu
troi'n ufudd fel pawb arall i edrych ar y briodferch. Ac
mae'r ymdeithgan yn powndio fel cnul marwolaeth. Hi
ydi hi. Yn cerdded ac yn sefyll i edrych yn gariadus i

lygaid Huw. Y boi iawn, deallus, dibynadwy sy'n dal y lle wrth ei gilydd tra fy mod i'n disgyn yn ddarnau. Y hi. Mor dwyllodrus o hardd. Yr 'iâr' yn y parti. Y ferch feddw o Fôn. Dwi'n blasu Guinness ac euogrwydd a lipstic rhad. Mae'r gwasanaeth yn chwydu heibio ar ffast fforward a dwi allan eto'n trio anadlu, yn gwasgu fy llygaid yn erbyn coegni'r haul. Mae yna law ar fy ysgwydd, anadl ar fy moch, rhywun yn closio am gusan. Mam y briodferch.

'Wel, pwy fasa'n meddwl?' meddai. 'Rhyfedd o fyd.'

Tâp y casét a llais Rod Stewart yn crygu fel ei gilydd.

Wake up, Maggie, I think I got something to say to you.

'Morwenna?'

Sebastian

Rhys Iorwerth

Daeth Sebastian i mewn i'r tŷ. Roeddwn wedi clywed
gwich y giât a'r goriad yn troi yn y clo ond nid oeddwn
wedi gallu ymateb mewn digon o bryd. Go wir ichi, nid
oeddwn wedi gallu symud gewyn. Roedd Sebastian
bellach yn gwichian (fel gwnaeth y giât) ond ni allwn
wneud dim, dim ond eistedd yno fel delw a theimlo fy
mochau'n troi'n goch.

Ar ôl camu dros y trothwy (hynny yw, ar ôl i
Sebastian wneud hyn), clywais fwmp ei fag yn taro'r
llawr. Synhwyrais ef wedyn yn hongian ei gôt ar
ganllaw'r grisiau, cyn i'w fŵts ddynesu dros y teils.
A dyna pryd yr agorodd y drws i'r lolfa ac y daeth
Sebastian i mewn a gwichian – yn union fel gwnaeth y
giât.

Erbyn meddwl, roedd bwlyn y drws i'r lolfa wedi troi
fel mewn ffilm hefyd. Hynny yw, wedi troi'n araf ac yn
ddramatig. Y finnau, serch y rhybudd, wedi fy hoelio i'r
unfan, heb allu ymateb mewn digon o bryd.

Mae'n siŵr eich bod yn meddwl fy mod yn hurt bost.
Roeddwn wedi clywed y giât yn agor a'r goriad yn troi

yn y clo; roeddwn wedi deall bod Sebastian yn diosg ei fag a'i gôt; roeddwn wedi gwrando ar dwrw'i fŵts yn croesi teils y cyntedd. At hyn, roeddwn wedi gweld bwlyn y drws yn troi mewn sysbéns. Ond na, nid oeddwn wedi symud modfedd.

A bellach dyna lle'r oedd Sebastian yn gwichian fel y giât: 'Be ffoc ydach chi'n ei ffocin neud?! Be ffoc ydach chi'n ei ffocin neud?!'

Go wir ichi, roedd yn bur amlwg o'r olwg arno nad oedd hyn yn rhywbeth yr oedd wedi disgwyl dod ar ei draws y prynhawn hwnnw – na'r un prynhawn arall – yn ystod ei gyfnod yn byw yma yn rhif 48, Ffordd yr Orsedd.

'Be ffoc be ffoc be ffoc?!' gwichiodd eto, a'i lais yn codi'n uwch ac yn uwch ac yn uwch.

Roedd fy wyneb innau bellach yn biws fel casog esgob. Ond na, ni allwn wneud dim, dim ond eistedd yno fel lembo, fel ffwlbart wedi fferru'n gorn.

Y diwrnod wedyn, symudodd Sebastian allan o'r tŷ am byth.

Diwrnod mor wahanol oedd hwnnw i'r diwrnod pan ddaeth yma gyntaf. Ac am olygfa oedd i'm croesawu ar y trothwy pan ganodd y gloch!

Fel hyn yr oedd Sebastian wedi'i wisgo wrth sefyll o'm blaen yn y drws (y diwrnod pan ddaeth yma gyntaf). Côt hir dywyll i lawr at ei fŵts, a sgarff yr un mor hir o gylch ei wddw. Ei fochau'n binc gan wynt a glaw, a'i wefusau'n las gan oerfel. A chofiaf feddwl: dyma ichi greadur o dras. Roedd wedi dod yma i fwrw golwg o'i gwmpas. Ac wrth sylwi ar wyrddni'i lygaid, ac ar gynffonnau llwyd ei wallt, teimlais rywbeth y tu mewn imi yn symud. Go wir ichi, teimlais y gallai hwn fod yn un o ddiwrnodau cyntaf gweddill fy mywyd.

'Paned?' cynigiais, ar ôl inni gyfarch ein gilydd yn y cyntedd.

Rhyw amneidio diolch a wnaeth Sebastian (ond am amnaid oedd hwnnw!); y tamprwydd yn codi oddi arno fel tarth. Er bod ei wefusau'n las, roeddent yn fain a golwg fonheddig arnynt. Ar ôl eu sychu, rhoddodd ei sbectolau yn ôl ar ei drwyn.

'Dewch drwodd,' meddwn i, a dilynodd Sebastian fi i'r gegin gefn. Ac ymhen pum munud, a'r mygiau'n stemio ar y bwrdd, a'r ystafell yn gartrefol glyd, credaf fod Sebastian eisoes wedi dechrau hoffi cynhesrwydd y tŷ. A theimlwn innau'n gynnes braf y tu mewn imi, y cynnwrf newydd yn suo fel pryfyn yn fy mron.

Y peth arall y sylwais arno, wrth inni eistedd o boptu'n paneidiau y noswaith honno (pan ddaeth yma y tro cyntaf), oedd hyn: sef pa mor feddal a di-flew oedd ei groen, fel croen baban (er na chyffyrddais ag ef). Ei lais hefyd, llais mwyn oedd gan Sebastian, a hwnnw'n cyd-fynd yn llwyr â'i fochau a'i ddwylo pinc ac â gwyrddni llaith ei lygaid. A'r gwallt yn gynffonnau llwyd, fel y crybwyllais cynt.

Daeth yn bryd imi ddangos y tŷ i Sebastian. Nid wyf yn credu iddo anesmwytho am inni eistedd yn y gegin gyhyd. Ond pan ddechreuais lenwi'r tebot am y trydydd tro, gofynnodd am gael gweld y llety. Dyna, fe'm hatgoffodd, pam y daethai yma wedi'r cyfan.

Ac yn wir ichi, aeth y daith o amgylch 48, Ffordd yr Orsedd yn llwyddiannus ar y naw. Erbyn inni gyrraedd yn ôl at waelod y grisiau roedd Sebastian ar ben ei ddigon; roedd y tŷ a'r llofft yn union at ei ddant. Roeddwn innau hefyd ar ben fy nigon wrth roi iddo'r papurau angenrheidiol. Holodd Sebastian a fyddai modd iddo symud i mewn y penwythnos hwnnw, pe na bai hynny'n anghyfleus.

Rwy'n dal i obeithio hyd y dydd hwn nad ebychais yn ormodol o lawenydd wrth gadarnhau y byddai hynny'n gwbwl dderbyniol, yn hollol iawn; byddai, byddai wrth gwrs.

Y peth yw, nid dyna'r tro cyntaf (yn dechnegol) imi ddod ar draws y gŵr hwn o dras. Roeddwn wedi'i weld o bell ugeinwaith. Gan amlaf yn y cantîn dros ginio y digwyddai hyn. Ac am brofiad oedd syllu arno'n claddu clamp o frechdan sawrus gan ddychmygu'r arogl ar ei anadl weddill y dydd! Go wir ichi, prin y gallwn fwyta fy mrechdan fy hun wrth fwrw trem ato draw.

Unwaith yn y pedwar amser byddem yn pasio ein gilydd ar y coridorau. A dyna'r cyfarfyddiadau gorau, os nad y gwaethaf, gan y llamai fy nghalon fel eog ar bob un o'r achlysuron hyn.

Cyfarfyddiadau, meddaf, ond wrth gwrs, ni fegais erioed y plwc i dorri gair ag ef. A chanolbwyntio ar fy ngorchwylion weddill y dydd ni allwn, ddim a minnau wedi dod o fewn modfeddi i'w ffroeni. Bendith tad, byddai rhywbeth annisgrifiadwy yn digwydd imi ar ôl troi ar fy sawdl i'w edmygu, a gweld ei hirwallt a'i fŵts mawrion yn diflannu i un o'r ystafelloedd gwaith.

Ar yr adegau hyn (fel ar bob adeg arall) byddai'n gwisgo'r gôt laes honno a guddiai ei gwt mor hyfedr. Cyfaddefaf imi erfyn droeon am chwa o wynt i godi'r diafol peth oddi arno, er mwyn cael dod i'w adnabod yn well!

Un bore, yn ddirgelaidd i gyd, holais rai o'm cyd-weithwyr amdano. Gyda lwc, gwnes hyn mewn ffordd gelfydd o ddidaro. Holi'i gefndir a natur ei swydd. Gogwyddo gên a chodi aeliau. Ond stilio go ofer ydoedd; wyddai neb ddim oll am ei hynt. Crychu talcen y byddent, crafu pen, cyn ysgwyd hwnnw heb syniad at bwy yr oeddwn yn cyfeirio.

Bûm yn pendroni sawl tro sut y gwyddwn mai Sebastian oedd ei enw. Ni allaf gofio i neb ddweud hyn wrthyf. Ond rhywsut, fe wyddwn. Fel y gŵyr y ddaear yn reddfol ei llwybr o amgylch yr haul.

Diolch i'r nefoedd, wedi gwynt a glaw yr hydref, prynhawn Sadwrn penigampus oedd hwnnw pan ddaeth Sebastian a'i fêt-mewn-fan i ymgymryd â'r mudo mawr. Hyn ar ôl dyddiau di-ben-draw o niwl a thymestl a thywydd-cuddio-yn-y-tŷ. Cofiaf imi feddwl ar y pryd fod hwn yn arwydd da: y gallai'r haul a'i belydrau dywynnu arnom am aeonau maith i ddod.

Go wir ichi, pe gwelech Sebastian yn symud ei fân drugareddau i mewn i'n cartref, fe gaech eich siomi o'r ochr orau! Fe dybiasech ei fod yn fwy o ymaflwr codwm na'r llanc talsyth, meingefn a welwn yng nghoridorau'r gwaith. Roedd y gôt yn angof ar ffens yr ardd, a Sebastian yn llewys ei grys yn hebrwng hyn a'r llall ac arall drwy'r giât wichlyd at y tŷ. Ei freichiau'n noeth a gwyn a hardd, a dafnau o chwys ar ei dalcen lle disgynnai un o'r cynffonnau llaith.

Meddyliais mor ffodus oeddwn; fe bisai hwn ar

Winston, fy nghyn-letywr, o'i gorun i'w gwt (rwyf yn siŵr imi sôn am y cwt hwnnw eisoes!).

Ar ôl dwyawr neu dair yn gwylio Sebastian a'i fêt-mewn-fan yn llafurio yng nghwmni'r celfi (chwyswn fy hun wrth eu gwylio drwy'r ffenest), cynigiais baned iddynt. Gwrthod wnaeth y ddau, a oedd yn eithaf dealladwy, wrth gwrs. Roedd yn ddiwrnod anarferol o gynnes o hydref a hwythau'n boeth a stemiog hyd at eu crwyn.

'Lemonêd cartref ynteu?' holais – trwy lwc roeddwn wedi paratoi ymlaen llaw at senario lle byddai'r hin yn rhy dyner i baned.

Mae'n rhaid cyfaddef nad oeddwn yn orsiomedig pan ymatebodd y mêt-mewn-fan drwy wrthod; rhaid oedd iddo ruthro i'r jobyn symud nesaf. Ac erbyn gweld, nid mêt-mewn-fan ydoedd, ond yn hytrach *man*-mewn-fan – gwych! Cawn i a Sebastian fwynhau ein lemonêd mewn heddwch. Ond mater o siom yn wir oedd agwedd Sebastian; dywedodd fod yn rhaid iddo yntau wrthod. Roedd yn awyddus i ddadbacio'r bocseidiau a gosod ei gelfi yn eu lle yn y llofft.

Cynigiais help llaw iddo ond gwrthododd hynny hefyd.

Fel, yn wir, y gwrthododd bopeth a ddaeth o'm genau yn ystod y diwrnod ar ei hyd. Unwaith y diflannodd i'w ystafell, bûm yn cerdded yn ôl ac ymlaen o'r cyntedd i'r lolfa, i mewn ac allan o'r gegin, yn gwrando ar Sebastian yn symud ei eiddo hwnt ac yma trwy'r estyll yn y nen.

Ond nid ailymddangosodd o gwbwl. Wedi i bethau ostegu, fe'm cysurais fy hun fod ar Sebastian angen amser i ymgyfarwyddo â'i gartref newydd, a chael trefn ar ei fyd a'i fetws. A'i fod, mae'n bur debyg, wedi blino'n lân ar ôl y mudo mawr.

Dim ond y noson gyntaf oedd hon. Byddai cyfle i rannu paneidiau – a lemonêd cartref – dros yr wythnosau, y misoedd a'r blynyddoedd i ddod.

Cofiaf yr alwad ffôn mor glir â chloch y ffôn ei hun. A chofiaf grynu o nerfusrwydd a gobeithio i'r nefoedd nad oedd fy llais yn rhy debyg i lais soprano naw deg oed mewn capel!

Roedd Sebastian (meddai Sebastian) wedi gweld fy nodyn ar yr hysbysfwrdd yn y gwaith ac yn meddwl, tybed a allai ddod draw i gael golwg ar y lle. Bu'n chwilio'n ddyfal, meddai, nid yn unig am y llety iawn, ond am y rhywun iawn i rannu'r llety hwnnw ag ef. Fe'm gwelsai sawl tro ar y coridorau a chredai y gallwn gynnig iddo'r hyn yr oedd ei angen arno yn ei fyd.

O donig. O donig perlewygaidd. Roedd creaduriaid yn gwneud y campau rhyfeddaf yn fy mol. Cwta bythefnos a basiodd ers i Winston symud i'r dafarn i fyw. Roedd hwnnw wedi mynd yn lletywr tra thrafferthus yn 48, Ffordd yr Orsedd; wedi troi'n anystywalltwr yr oedd yn well ganddo ddenig i dŷ potes nag ymgomio o boptu'r teledu gyda'r nos. A bwrw barn onest, credaf na chollwn ddeigryn pe dywedech wrthyf ei fod wedi'i lofruddio mewn salŵn yn gelain gorn.

Ond dyma bellach alwad ffôn a llais mwynaidd yr ochr draw i'r lein. Os nad rhagluniaeth oedd hyn, beth ydoedd? Dim ond ers deuddydd y gosodais y nodyn (yn fy llawysgrifen orau) ar yr hysbysfwrdd yn y gwaith.

Roedd Sebastian bellach yn holi a gâi bicio draw i fwrw golwg o amgylch y lle, os nad oedd hynny'n anghyfleus. Anghyfleus? Piffiais chwerthin ar ei ymholiad hurt.

Go wir ichi, wedi'r sgwrs honno, es yn syth ar fy mhen i'r archfarchnad i brynu'r dail te gorau y gallai f'arian eu prynu. Ynghyd â mygiau a llwyau newydd sbon.

Gan imi grybwyll enw Winston, mae'n bur debyg mai dyma'r lle i gyfaddef mai yn y gegin gefn y digwyddodd yr helbul gyda hwnnw, yn hytrach nag yn y lolfa.

Ac nid gwichian a wnaeth eithr rhuo.

Soniais eisoes fod Winston yn or-hoff o'r ddiod gadarn. Pan ddychwelodd y prynhawn hwnnw, tybiaf yn siŵr iddo fod a'i big yn ei beint ers oriau lu. Roedd ei wallt mawr blith draphlith ym mhobman; ei fwstásh fel un môr-leidr heb ei drin; ei groen olif yn rhychau sych. A'i lygaid fel dwy farblen o olosg yn ei ben.

Ni chredaf fod y rheini'n gallu amgyffred yr hyn a welent. Do, fe glywais y drws ffrynt yn agor, ynghyd â slap-tap-tap ei sandalau a'i draed blewog dros y teils. Synhwyrais ei duchan a'i dorri gwynt ymhell o'i flaen. Ond fel y dynesai tua'r gegin, roeddwn wedi fy nghlymu rywsut i'r llawr.

Ni ruodd y llew yn sw Bae Colwyn fel y rhuodd Winston o'm gweld fel y gwnaeth!

Nid wyf yn siŵr ym mha dafarn yn union yr ymgartrefodd. Ac fel y crybwyllais, pe torrech imi'r newyddion fod bricsen wedi syrthio o'r nen a'i ladd, fe'ch cusanwn yn eich mannau mwyaf preifat un.

Mater o gysur imi oedd gweld mai gŵr anarferol o

lân oedd Sebastian, ac nad oedd cwrw budr yn mynd â'i fryd. Er na welais ef byth yn golchi'i gôt.

Fore trannoeth (hynny yw, drannoeth i Sebastian symud ei drugareddau i'r tŷ), roeddwn wedi codi cyn cŵn Caer i dollti wyau a ffrio te. Mae'n ddrwg gen i, i ffrio wyau a thollti te. Dyna anferthedd fy nghyffro wrth amgyffred ein brecwast cyntaf ynghyd yn 48, Ffordd yr Orsedd! Dychmygwn yr hyn y byddai Sebastian yn ei wisgo wrth gyfod o'i wely a disgyn y staer.

Teimlwn yn sâl wrth feddwl am hyn. Beth pe gwelwn fflach o flew ei goesau rhwng hollt ei ddresin-gown? Ond teimlwn yn hapus o benwan ar yr un pryd.

Edrychais ar y coc am awr neu ddwy go dda. Mae'n ddrwg gen i; ar y cloc. Ac yna digwyddodd! Llamodd rhywbeth y tu mewn imi wrth glywed ystwyrian drwy'r estyll uwchlaw. Ennyd wedyn, swn diamheuol ei enaid yn croesi'r landin. Rhuthrais i roi mwy o ddŵr yn y tecell, cyn torri wyau ffres yn y badell. Fy mam farw annwyl, roedd fy nghalon yn curo fel gordd!

Fflwsh tŷ bach yn ddiweddarach, clywais fŵts trymion Sebastian yn dechrau disgyn pren y grisiau. Fesul gris y dynesodd; y coed yn griddfan, fel y gwnâi fy mherfedd. Ond y fath siom a gefais y bore Sul cyntaf hwnnw (wedi i Sebastian symud i mewn i'r tŷ).

A minnau'n cadw golwg ar yr wyau, ac yn troi a throi a throi'r te, ymbellhau wnaeth swn y bŵts wrth gyrraedd teils y cyntedd. Yn hytrach na thwrw brasgamu awchus tua'r gegin, clywais y drws ffrynt yn agor ac yna'n cau gyda chlep. A thipyn o glep oedd honno – gallwn dyngu i'r saim yn y badell neidio mwy na'r arfer ac i grych ymddangos yn y te yn y mẁg.

Ni ddychwelodd Sebastian tan yr hwyr, mor hwyr yn wir nes fy mod wedi hen glwydo ac yn gorwedd yn effro-aflonydd yn cyfrif ieir. Y diwrnod canlynol, erbyn imi godi, roedd Sebastian wedi mynd i'w waith. Yn go anfoddog y codais innau; nid oeddwn yn teimlo'n gant y cant.

Yr amser cinio ar ôl i Sebastian alw heibio i 48, Ffordd yr Orsedd i fwrw golwg ar y lle (hynny yw, ar drothwy'r penwythnos pan symudodd ei gelfi i'r tŷ), fe'i gwelais yn y cantîn o hirbell. Roedd yn sglaffio brechdan o'i blât. Fe'i dychmygais yn sglaffio pethau eraill, mwy amheuthun, ac es yn simsan o wan wrth wneud.

Ar ôl bwyta hanner fy mrechdan innau, penderfynais fentro draw ato am dro.

Mae'n rhaid cyfaddef i'm calon suddo fel plwm yr amser cinio penodol hwnnw, oherwydd go wantan ei groeso oedd Sebastian, y gwalch. Yn wir, ni roddodd imi groeso o gwbwl. Erbyn imi gyrraedd y bwrdd lle'r eisteddai, roedd wedi codi a diflannu i'r ystafelloedd gwaith, heb adael dim ar ei ôl ond ambell friwsionyn hesb, a blas bara sych yn yr aer.

Cofiaf i un o'r gweinyddesau brysuro draw wrth fy ngweld yn sefyllian yn y fan. Gofynnodd imi a oeddwn wedi gweld drychiolaeth. Cysurais fy hun o wybod y byddem, mewn dim o dro, yn ddeuawd dan yr unto. Dywedais wrthi nad oeddwn.

Rhyddhad o'r mwyaf, felly, oedd croesawu Sebastian a'r *man*-mewn-fan mor brydlon i'r tŷ ddiwrnodau wedyn. Mor brydlon fel y gallwn fod wedi rhoi iddo gusan. Gwalch, yn wir!

Prin y gwelais Sebastian o gwbwl yn ystod yr wythnos gyntaf honno pan fuom yn cyd-fyw yn ein tŷ, sef 48, Ffordd yr Orsedd.

Ni chofiaf imi'i weld yn y gwaith ychwaith. Ar y pedwerydd bore, rhoddais y gorau i dywallt wyau a ffrio te. (Nid oedd y jôc yn gweithio mwy.) Eto, roedd rhywbeth ynof a ddeisyfai ei weld yn baglu i mewn i'r gegin, straen bywyd ar ei ruddiau, a'r rheini'n disgyn yn ollyngdod o weld fy nhebot yn llawn.

Ysywaeth, yr un fyddai ei batrwm ddydd a nos. Diflannai cyn gynted ag y codai; âi i'w lofft ar ei union pan ddychwelai ym mherfedd hwyr. A'm gadael innau yn ddig fy nhrem, oherwydd nid am y peth hwn y llofnodais. Fe'i synhwyrwn ond heb ei weld; gallwn ei deimlo ond ni allwn ei gyffwrdd yn fy myw.

Gwyddwn, er enghraifft, yn burion pe bai ei fŵts wedi croesi'r teils y diwrnod hwnnw. Gallwn eu harogli. At hynny, byddai sawr yr hen gôt fawr weithiau'n glanio arnaf wrth gerdded y tŷ. Dim ond un gôt o dras a allai fod wedi'i greu. Heb sôn am y blewiach hir yn y gawod.

Roedd Winston – a Cédric o'i flaen – yn gyd-letywyr nid gyda'r hawsaf. Roedd Benjamin cyn y rheini'n waeth na'r un. Ond os yw f'atgofion yn glir, fe'u gwelwn o amgylch ein cartref o dro i dro (48, Ffordd yr Orsedd). Nid felly Sebastian. Am gymar anystyriol, anweledig ei batrymau byw!

Pa ryfedd imi fynd ati i wneud yr hyn a wneuthum

y diwrnod hwnnw? Pa syndod yn y byd imi fy rhoi fy hun mewn sefyllfa lle na allwn symud gewyn? A pheri iddo yntau wichian fel gwnaeth y giât.

Bûm yn pendroni'n ddyfal a ddylwn fod wedi ysgrifennu ato, dim ond ar ffurf gair o eglurhad, os nad ymddiheuriad. Wedi'r cyfan, go brin y byddwn innau wedi bod yn or-hoff o weld cyd-letywr â mi yn y fath sefyllfa.

Ond mae'n wir hefyd imi ystyried ysgrifennu at y lleill, ac ni ddaeth dim drwg o beidio â chysylltu â'r rheini. (Fel y gwyddoch, ni faliwn fotwm pe bai Winston yn corndagu yn ei fedd y funud hon. Ni chlywais undim, yr un bw na be, gan y pen pib ers oes.)

Yn yr un ffordd, ni thybiaf y clywaf ryw lawer gan Sebastian ychwaith. Digwyddodd a darfu! Nid yw i'w weld yn y gwaith ddim mwy.

Mae'n wir imi gywilyddio a chochi. Ond ni ddaw'n agos at y cochi a ddaeth i'm rhan drachefn y dydd o'r blaen. Es yn biws fel casog esgob, mae'n siŵr. A dyma pam y bu imi fynd yn biws. Wrth drafaelio ar y bws tua thre, a haul y prynhawn yn dawnsio bymtheg y dwsin ar wynebau fy nghyd-deithwyr poeth, daeth pwtyn o ŵr i mewn ac eistedd am y sedd â mi. Roedd ganddo lygaid doniol a gallwn weld ei gorun bach yn sgleinio.

Bychan a byr a thew. Roedd yn greadur o dras, go wir ichi! Yn dipyn o bwdin, a bathu gair. Meddyliais am fy nhŷ gwag a'r ystafell yn y llofft. Penderfynais y byddwn yn ei alw'n Ednyfed.

Pethau odiach

Siân Melangell Dafydd

A beth am y car côch yn y lôn allanol? Mae'n goddiweddyd lorri lefrith a dreifar honno'n gwenu, nid ar y car ond ar rywbeth arall pell, pell, ella tu mewn i lais y radio sy'n trafod absinth a beirdd a thylwyth teg gwyrdd.

Straffaglia'r car i gyrraedd 70 milltir yr awr. Ffrind oedd wedi ei roi ar fenthyg iddynt gan ddweud mai hwn oedd ei babi, dalltwch, a'i bod yn rhaid iddynt ei ddychwelyd mewn un darn, 'heb un sgratsh'. Ac o, ie, hefyd, fod 'na broblem hefo'r hand-brêc. Fod y car angen ei drin â dwylo ysgafn, ysgafn. A, mwynhewch eich holide, *lovebirds*.

Roedd gwregys y dyn wedi ei dynnu ar hyd ei frest rhag ofn i'r heddlu ei weld heb y strap du, ond doedd o ddim wedi'i glicio i'w le. Fel arfer, byddai'r ddynes wrth ei ochr wedi dadlau hefo hynny ond, heddiw, roedd hithau eisiau hanner gorwedd yn ei sedd, nofel ar ei bol – heb osod gwregys ei sedd hithau. Petai damwain, ar y cyflymder yma, byddai hi'n hedfan yn bendramwnwgl trwy'r ffenest flaen, meddyliodd – a'i gorff yntau hefyd – heb unrhyw reolaeth.

Yn ei thawelwch, mae'n cynnal sgwrs hefo hi ei hun fel petai eneidiau eraill yno'n aros i fod. Lle cysurus oedd ei sedd, fel yr oedd. Rhaid fod hynny'n argoeli'n dda ar gyfer y dyddiau hir o'u blaen, ger afonydd estron – er nad ydi neb yn teimlo ei fod yn byw mewn stori ddamwain neu stori arswyd neu stori gariad cyn i hynny landio arnyn nhw. Mae ei meddyliau'n mynd i Truro – y noson wyllt honno – ac mae'n anghofio dadl y strap.

Wrth ei thraed, mae bag *long-life* mawr o adre, yn llawn bwyd picnic: pop a chrisps a chwcis – neb awydd y rheini yn y gwres – ffrwythau a brechdanau *chorizo* a *kale* mewn Tupperware. Hi oedd â gofal am eu bwyd, ers Truro. Dyna lle mae hi, felly, y sedd wedi ei gwthio mor bell ag yr âi, ei choesau noeth yn ymestyn at y dashfwrdd un munud, a'r munud nesa, ei chorff cyfan yn pwyso 'mlaen dros yr hand-brêc da-i-ddim i feimio arwyddion ffordd, pwyntio, chwith – fan'cw – 'dan ni angen yr A-betingalw – rŵan – rŵan. A, shit, dylet ti 'di mynd ffor'cw, nid ffor'ma. Ambell dro, byddai hefyd yn pwyso ymhellach a phlannu cusan ar war y dyn. Fan'no oedd ei wendid. Byddai yntau'n cynnig brêc hufen iâ, cân gron neu gêm i basio'r amser. Ond, ar hyn o bryd, mae tawelwch a thraffordd. Mae ei choesau yn hirach nag arfer. Mae'r gwyliau yn ei thrawsnewid yn barod.

Dyma'r tro cyntaf iddynt fynd ar wyliau hefo'i gilydd. Neu'r ail, o gyfri'r nos Galan ar draeth Truro, y dawnsio â'u ceseiliau i'r môr, y ddau wedi colli eu ffrindiau ac yn ysgwyd eu cyrff hefo llond dyrnaid o rai dewr eraill oedd yn dal ar y traeth a hithau'n -5°. Ond doedden nhw ddim yn gwybod enwau ei gilydd tan ddau o'r gloch y bore. Os na chyrhaeddon nhw hefo'i gilydd, mae'n debyg nad oedd Truro'n cyfri fel gwyliau. Ond y pryd bwyd cynta'r flwyddyn yna oedd wedi arwain at hyn, y milltiroedd tua'r de hefo'i gilydd mewn car benthyg: y rholiau bara ffres o bopty ei Airbnb ni, siocled poeth o fygiau enamel. Gwres yn brifo'u bysedd. Gallent fod wedi bwyta'r union fwyd hefo rhywun arall, ond fyddai hynny ddim wedi arwain at hyn. Mae ganddi ffydd mewn prydau bwyd, ond ddim cymaint â hynny.

Beth am y Volvo 'na, 'te? gofynna'r dyn.

Mae hi'n cipio golwg i gyfeiriad nòd ei ben.

Nhw hefo'r fatras yn y cefn? meddai hi.

Ia.

Wedi confertio Volvo ei thad hi maen nhw. Ond mae hi'n difaru'i henaid rŵan, yn styc hefo car yn drewi o ffỳg cwsg ei chariad. Yli golwg arno fo! 'Dyn nhw heb gyffwrdd ei gilydd go iawn ers ... ers Brwsel. Maen nhw ar eu ffordd i Barcelona, dow dow. Does 'na'm golwg para arnyn nhw, nag oes?

Na'r car chwaith. Ti 'di gweld stad yr egsôst? Mi ro i tan Perpignan iddyn nhw.

Mi arosith hi yno am sbelen hefo'i Volvo ac ella ... dysgu sut i gadw gwenyn. Disgyn mewn cariad hefo local chydig mwy clên ei olwg na hwn.

Ella mai fo sydd angen rhywun clên?

Y ddau ohonyn nhw ella. Angen ...

Affair?

Hm, mae hi'n dweud, fel ateb allai olygu 'na', ond heb anghytuno ychwaith.

A beth am y Renault Megane 'na?

Tynnu wynebau'r tu ôl i'r Volvo oedd hwnnw – ar frys – dyn yn ei bumdegau â wyneb llyfn, heulog. Dim crys. Pyst pren ar do'r car yn cyrraedd o'r fonet hyd ychydig pellach na'r bŵt.

O, does ganddo fo'm stori fawr. Jest adeiladu cwt yng nghefn yr ardd mae o.

Dyna 'sa ti'n licio'i wneud!

Dyna wna i, meddai hi, cyn iddo gael cyfle i'w phwnio yn ei chlun. Nid yw'r dyn yn dweud gair. Gwylie nesa, mae hi'n dweud. Yn ddi-ffael, gwylie nesa!

Edrycha rŵan ar y car o'i blaen: teulu, mae'n rhaid, tedi-bêr â'r trwyn wedi'i wasgu, geriach traeth, cesys, bocs oer. Mae peth amser yn pasio. Y cwbl mae hi'n ei wneud yw hongian ei fflip-fflop o'i bawd mawr.

Sut mae pobl gyffredin yn fforddio hotels a meysydd campio? Tydi hi erioed wedi deall sut mae gwyliau yn bosib – oni bai ei bod yn aros hefo rhywun, hen ffrind, anti. Ond roedd hi wedi clywed ei chariad yn siarad am Genefa sawl tro. Y nofio – yr holl nofio. Genefa ddyfriog, Genefa fynyddog, Genefa â'i thai crand a bwydydd estron heb gyllyll a ffyrc. Silod mân wedi ffrio. Bwyd bysedd. Digon i wneud iddi fod yn eiddigeddus o'i gyn-gariad, sy'n gwneud dim synnwyr, dim iot o synnwyr, mae'n gwybod. Fydd o byth yn gwneud sioe o'r gwyliau perffaith hwnnw, ond dim ond un gair sydd eisiau a bydd ei wyneb yn dangos fod rhywbeth wedi bod am y lle hwnnw a'r foment berffaith hefo 'hi'. Rhaid iddi adael i'r ddynes arall berchnogi ambell atgof da ond fyddai hi byth yn mynd ar gyfyl Genefa.

O'r diwedd, mae car y teulu yn symud o'r ffordd i'r ddau yma gael goddiweddyd. O'r ffenest gefn, mae bachgen yn dangos afal wedi'i hanner bwyta iddi, bron yn edmygol. Mae hi'n medru dweud, o wyneb y bachgen, ei fod yn trio meddwl am gwestiwn digon dilys i'w ofyn, i warantu tarfu ar y tawelwch a'r pellter rhyngddyn nhw. Ond maen nhw'n goddiweddyd nes nad yw'r bachgen na'i afal yn bodoli. Ac mae hi'n cysgu cyn i ddim newid.

Mae pebyll *loads* gwell na thai, dyna mae'r dyn yn ei ddweud pan ddaw ymennydd y ddynes yn ôl i'r car. Heb wybod yn iawn sut, mae'n cytuno. Fel teclyn wedi gwefru ei fatri'n iawn am y tro cyntaf ers cyn cof, teimla ei chorff yn ailddeffro ers iddyn nhw adael.

Campio'n wyllt maen nhw wedi bod yn ei wneud ar y ffordd, a hynny'n golygu nad ydyn nhw wedi cael cawod na bàth ers gadael. Gwyllt, fel ysgyfarnogod, gwyllt fel ffesantod, gwyllt fel baeddod.

Roedd baeddod. Mae'n cofio hynny yn ei hanner cwsg a sylwi fod llaw'r dyn ar ei chlun. Mellt yn y pridd ddim ond modfeddi o'u patsh bach o goedwig. Dim ond neilon llipa rhyngddynt, gwynt a glaswellt. Y ddau'n gwrando ar y rhochian pleser heb ffrwyn. Hynny'n crynu eu cyrff o'u cwsg, ac yn ôl i'w cwsg, yn siglo rhyw gymysgedd o ofn a chwant bywyd i mewn iddyn nhw.

Glywest ti? Do? Ti'n siŵr? Do – dyna be oedd o'n de? meddai'r ddau, ar eu cwrcwd y bore wedyn â'u cegau'n llawn past dannedd. Poerodd y dyn i'r glaswellt. Cyn iddi hi orffen rinsio'i cheg â dŵr potel, roedd yntau'n camu o gwmpas y babell fel baedd â phen-ôl trwm.

Fel breuddwyd, fyddai hi ddim wedi cofio am y baedd oni bai eu bod wedi sgwrsio am y peth y bore wedyn.

Doedd gen ti ddim ofn?

Na, meddai hithau. Isio'r siocled oedden nhw, nid ni. A ma' hwnnw yn y *cool-box*.

Yn ei hanner breuddwyd yn y car, gwêl y dyn yn dal i stompian am y babell fel baedd, ond fod golwg debycach i ystlum arno. Daw chwerthiniad o'i cheg. Mae'n clywed ei hun. Mae'n deffro.

Be sy? mae'r dyn yn dweud.

Y cwsg, y goleuadau oren yn diferu i'w gilydd o'r draffordd – mae'n nos eto – rhywbeth tanllyd, y rhythmau car a char a char, fo fel baedd, rhuo ceir. Y ddau, yn y gwacter hir hwn, angen ei gilydd, ac yn damio'r daith, yr hand-brêc, ond eto'n byseddu pob rhyw damaid bach o gorff y llall dros y bwlch, ac yn anadlu'n ddyfnach.

Pa mor bell eto? mae'r ddynes yn holi mewn hanner cwsg.

Tri chwinciad a hanner.

Mae'n saith awr eto cyn iddynt gyrraedd.

Daw'r car benthyg at eu tŷ benthyg rywdro cyn y wawr. Mae un lamp. Tu ôl i'r un lamp, coeden ffigys. Yn y dail, wedi'u goleuo, mae ffrwythau yn ffermentio ar y pren – ac yn y twyllwch hefyd, i bob cyfeiriad.

Mae'r dyn yn adnabod ogle'r lle, ond nid hi. Mae hi'n adnabod trigolyn y lle, ond nid y dyn. Math o gydraddoldeb yw dod i'r lle yma – hanner perthyn i'r ddau.

Aa, meddai'r dyn wrth agor drws y car, roeddwn i'n ifanc ac yn ddel yma.

A be wyt ti rŵan? mae hi isio gwybod, o ochr arall y fonet, a golau ffigys yn ymylon ei gwallt.

Baedd gwyllt, mae'n dweud, a chau drws y car.

Aa, eto. Aa, dyma fi.

Anwar – mae'r ddynes yn ei adnabod: y dyn sydd wedi clywed wmff ola'r car wrth iddo ddod i stop. Edrychant yn uwch tuag at yr Alo! Alo! oddi uwch. Goleua lamp arall i fyny ar fath o deras hefo siapiau'n chwifio. Dyna'n union sut fydd y ddau yn cofio Anwar ar ôl y gwyliau: fel creadur y nos, wedi'i fframio gan winwydd.

'Dach chi yma!

'Dan ni yma.

Ar ôl cario'r bagiau i'r tŷ a'u rhoi mewn llefydd priodol, gan sibrwd am ryw reswm, mae rhywun yn dweud, Gwin.

Mae Anwar yn clecian celfi yn y gegin – dim digon o olau yno – dim ond lamp eillio uwchben y sinc. Neb yn ateb.

Neu ddŵr?

Mae Anwar yn tynnu eu sylw at lond colinder o ffa Ffrengig gwyrdd a phiws a melyn ar y bwrdd. Yn y ffrij, dwy botel o win. Dim byd arall, ond mi gawn ni sortio hynny fory. Yng ngolau'r ffrij, mae corff Anwar yn edrych yn fwy nag yr awgryma ei lais.

Mae popeth yma i chi, mae'n dweud. A fory, mi gewch weld yr afon lawr ffor'cw. Mae'n pwyntio at y sŵn oedd yno, mae'n rhaid, drwy'r amser, ond sy'n amlwg rŵan. A'r rhaeadr. A'r elyrch. A fyddwch chi ddim eisiau gadael ar ôl blasu'r bricyll.

Agor potel o win gwyn wna Anwar, beth bynnag, tra bod y dieithriaid yn ymestyn cledrau eu dwylo at y nenfwd.

Ond plis peidiwch â defnyddio'r cwrt os allwch chi

beidio, mae'n dweud gan bwyntio at ail ddrws i'r tŷ –
drws allan o'r gegin. Mae 'nhŷ i yn fan'cw, a'r bathrwm
yn fan'cw, a'r cwrt yn y canol. Os 'dach chi ddim yn
meindio. Mae'r cwrt yn breifat.

Deallant ddau beth: fod Anwar yn croesi'r cwrt yn
noeth a bod Anwar ddim yn un i ddangos ei gorff heb
gywilydd neu embaras. Tydi'r ddynes yn dweud dim.
Nid fel'ma oedd o'n arfer bod. Ond hen ffrind ydi hen
ffrind.

Mae hi'n rhoi ei breichiau am Anwar yn lletchwith,
ei thrwyn yn ei wallt. Ond rhaid iddi gysgu. Rhaid.
Efallai nad ydi'n rhy beryg gadael i'r ddau ddyn ddod i
adnabod ei gilydd – wnân nhw ddim dweud gormod,
siŵr.

Â Anwar o gwmpas y gegin yn estyn cannwyll
sitronela mewn un llaw, gwydrau yn y llall, a rhoi'r botel
dan ei gesail gan chwifio'r dyn allan i'w gwrt personol,
am y noson. Dwy gadair wiail a sêr.

Yn ei gwely, heb unrhyw fath o orchudd, mae'r
ddynes yn meddwl, tybed ydyn nhw wedi dod yr holl
ffordd yma er mwyn bod yn eiddigeddus o fywyd
rhywun arall.

Pan ddaw'r dyn, o'r diwedd, i'w wely, mae'n ei osod ei
hun yn drwm wrth gorff y ddynes, heb symud nes iddo
ddeffro.

Drannoeth, Anwar sy'n codi'n gyntaf ac mae'n gadael i'r
ddau gysgu. Maen nhw'n aros yn eu shîts tan bron
amser cinio. Dim ond wrth i slab o wres canol dydd eu
taro mae'r ddau yn styrio, cyn codi hefo cur pen
gor-gwsg a theimlad fod rhywbeth o'i le hefo hynny.

Fo sy'n neidio i'r gawod yn gyntaf, gan ei gadael hithau'n syllu drwy'r ffenest ar eu byd newydd, am y tro cyntaf. Coed castan a derw yn cystadlu am le am filltiroedd – ac i lawr yn fan'cw, tir crimp, tomatos gloyw mewn rhesi, un goeden â rhyw ffrwyth coch fel afalau mawrion allan o'u tymor.

Pan ddaw o'n ôl, am ryw reswm, mae'n sefyll yn ffrâm y drws fel petai rhywbeth caled yn ei ffordd. Tydi hi ddim yn dweud dim, ond mae'r ddau yn gwybod fod rhywbeth i'w ddweud o'u corneli. Bron ei bod hi'n teimlo'r dŵr ffres yn dod oddi ar ei gorff. Sylla ar ei ddwylo mawr. Gwêl ddiferion ar ei arddyrnau, gwêl symudiad ei anadl yn gwneud i'r diferion am ei fotwm bol ddisgleirio, a gwêl ei godiad. Am hanner eiliad mae hi'n ei weld yn union fel roedd o, lai na blwyddyn yn ôl, cyn i'w fam farw a chyn i'r gwallt am ei glustiau fritho. Fo sy gyntaf yn cael digon ar aros, ac mae'n gosod ei gorff oer ar ei chorff poeth hithau. Cwymp y ddau yn ôl i'r gwely ac yntau'n llithro i mewn iddi hefo hast sgodyn. Ac yn rhywle, mae torrwr glaswellt yn gwmni iddyn nhw.

Maen nhw'n canfod bara, menyn, jam ac un *croissant* ar y bwrdd, fel petai'r tŷ ei hun yn darparu; coffi hefyd. Mae o'n trio un o'r ffa Ffrengig wedi'i throchi mewn jam ffigys.

Mm, meddai, gan godi un arall – un melyn. I ti! *Go on*.

Wrth ymestyn at y ffeuen jam, mae hi'n sylwi pa mor enfawr yw'r bwrdd rhyngddyn nhw. Bwrdd castell mewn cwt; ffa hefo jam.

Not bad.

Mae'r ddau felly'n anwybyddu'r bara a bwyta'r

piws, melyn, gwyrdd yn eu tro, wedi eu trochi mewn jam.

O'r tu allan, maen nhw'n clywed un gair yn clecian ei ffordd at y drws, yna'n cryfhau. Llais plentyn yn dweud, Cwrw. Cwrw. Cwrw.

Mae'r gair yn dod trwy'r drws – Cwrw – a bachgen yn gosod dwy botel o'i ddwylo cyn nôl rhai o dan ei geseiliau a'u gosod ar y bwrdd yn galed. Mae pedair arall gan Anwar.

Fi enillodd nhw, meddai'r bachgen. Mewn cystadleuaeth sgota mewn pwll padlo! Wrth ei ochr, mae Anwar yn smotiog wlyb i gyd. Oni bai am hynny, fyddai'r dyn na'r ddynes ddim wedi sylwi fod y bachgen yn wlyb soc o'i gorun i'w sawdl. Mae pwll bach am ei esgidiau, bellach.

Bob un, meddai'r bachgen, gan neidio yn ei batsh gwlyb ar y teils. Hefo mwgwd ar fy llygaid a phopeth – do'n i'm yn gweld dim byd!

Mae'n wir – dylech chi fod wedi'i weld o, medd Anwar, gan chwalu gwallt y bachgen. Ond rwyt ti am roi pob un i dy dad, meddet ti!

Bob un, meddai'r bachgen. Ych-a-fi!

I be wnest ti hynny? mae'r dyn isio gwybod.

Mae Anwar yn agor un botel ar ochr y bwrdd ac yn esbonio fod y bachgen wedi bod yn benderfynol – does gan Anwar ddim cariad fel y dyn a'r ddynes, ac felly, mae *o* yn cael y cwrw. Ac, ar hynny, mae'r bachgen yn taflu ei hunan am benngliniau Anwar ac Anwar yn cymryd swig.

Ella mai dyna sut y dylai hi fod – cwrw i bawb heb gariad, mae'r dyn yn ei ddweud.

Dyna'n union sut y bydd hi pan fydd y sbrowt yma'n rheoli'r bydysawd, medd Anwar.

Digon teg, mae'r ddynes yn siarad am y tro cynta, gan weld ei chyfle i dorri ar draws. A phwy wyt ti felly?

Wyt ti am ddweud d'enw? mae Anwar yn gofyn gan anwesu clustiau'r bachgen. Nag wyt? Dyma Guillespe. Ddim fel arfer yn swil, mi welwch chi. Ond wedi bod ar dân isio i chi ddeffro bore 'ma.

O le ddaeth o, Guillespe? gofynna'r ddynes i Anwar un bore tra bo'i chariad ar ysgol yn hel ffigys.

Wyt ti'n gofyn i mi o le mae plant yn dod?

Dwi'n gofyn i ti pam na ddwedaist ti air amdano fo! Wnest ti ofyn?

Wrth gerdded, gafaela Anwar yn ei llaw. O leia mae hynny'n rhoi taw ar y sŵn pwffian ganddi hithau.

Sori – mae'n dweud – mae'n stori ddiflas. Ac mae o'n fachgen annwyl. Well gen i bo' ti'n ei gyfarfod o, heb y stori.

Ti'n llawn storis diflas, Anwar.

Dyna sy'n digwydd pan ti'n byw ym mharadwys, 'sti.

A dyna pryd mae'n gollwng ei llaw, i gamu dros ffens drydan sydd i fod yno i warchod ei domatos a'i ffa rhag y baeddod.

O fewn wythnos i'r ddau gyrraedd yno, mae bambŵ wedi saethu i'r awyr o bwll y ffos. Dechreua Anwar gicio'r babmŵ ifanc a rhegi mewn cymysgedd o ieithoedd nad ydi hi'n eu dilyn, heblaw 'mwncwn' a 'conts'. Geiriau cymalog oedd y gweddill. Cofiai hi fo'n ymddwyn yn union felly dros ddeng mlynedd yn ôl cyn iddo adael a dod i baradwys. Byddai'n cynnal ffrae hefo pobl fu'n rhan o'i ddiwrnod, o'i wythnos, o dan ei wynt yn ei chawod, a hithau'n methu'n lân â chario 'mlaen i weithio hefo'r fath sioe yr ochr arall i'r wal.

Dyddiau tawdd sy'n llenwi pythefnos gwyliau'r pâr – gormod o olau efallai. Treulia'r pedwar eu dyddiau un ai yn eu gwisgoedd nofio, neu ddim byd o gwbl. Neb yn siŵr ym mha goeden neu afon roedd Guillespe. Y dyn yn bwydo'r ddynes â straeon 'pan o'n i'n fach', hafau hefo Mam a Dad, mynd ar drywydd y fferins almon roedd o'n eu cofio a'u canfod nhw mewn siop ddrud, mewn sachau bach plastig. Eu bwyta hefo coffi tew fel tar mewn sgwâr o dan y coed planwydd, bag o fricyll o dan y bwrdd – rhai gwell na 'stalwm ond rhai llai na 'stalwm. Mynd ar goll. Canfod darnau o afonydd fydd byth yn eu datgelu eu hunain ar ôl y gwyliau yma: llecynnau cudd lle mae dŵr gloyw, dŵr cynnes, llawr yr afon yn llawn cerrig mân â mwyn ynddynt yn eu troi'n arian fel cyllyll. Bedyddio'r car yn Joan. Meiddio eistedd ynddo hefo penolau gwlyb. Anwar wastad yn paratoi rhyw fwyd anghyffredin neu'i gilydd iddyn nhw ac yn chwerthin wedyn. Y dyn a'r ddynes yn mynd i farchnadoedd yn y car. Rhywbeth o hyd ei angen: mwy o olew olewydd, bara i orffen y caws, caws i orffen y gwin. Byw pythefnos llawn mewn dŵr neu ger y dŵr. Eu croen yn crefu am ddŵr o hyd. Eu croen yn gynnes, gynnes; gormod o egni. Y nosweithiau yn cychwyn yn hwyr ac yna'n llenwi hefo galwadau llyffaint.

Does dim tywydd: dim gwynt na gwres na lleithder nac oerfel. Golau yn unig. A swperau hir. Mae Anwar yn orgaredig. Does neb yn siŵr hefo beth mae'n talu am y

55

gwin, ond mae'n gwneud i bawb deimlo fel plant wedi dengid o adre. Anwar – byth yn rhedeg allan o bethau i'w dweud ar ôl i'r haul fynd i lawr. Hanes y Flying Scotsman: dyn o'r Alban gafodd ei godi o'i iard gan wynt mis Hydref, a'i slamio i lawr i'r ddaear hefo mwy o esgyrn yn ei gorff nag oedd i fod yno. Hanes ei fywyd yn rhoi gwersi gitâr cyn iddo ddengid yma, diolch byth, diolch i'r duwiau a phopeth arall. Anwar – yn rhedeg allan o halen neu olew neu sbeis.

Byddai un ohonynt yn sylwi fod Guillespe yn cysgu ar garreg boeth, neu ar lin un ohonynt, ryw ben bob nos. Fyntau'n cael ei dycio i mewn i'w wely a'r tri yn cynnau tân i gadw'r mosgitos yn ddigon pell.

Ti'n gwbod be 'dan ni fod i wneud ar wyliau? mae'r dyn yn gofyn i'r ddynes wrth i Anwar fwmian canu a chario'r bachgen i'r tŷ.

Be?

Ffraeo.

Dyna oeddwn i wedi meddwl 'san ni'n wneud, mae hithau'n ei ddweud.

Mae'n oedi cyn ateb nes ei fod wedi oedi gormod i ateb. Dim ond chwarae â choesyn ei wydr gwin gydag un bys yng ngolau'r tân sydd ar ôl i'w wneud. Ystum sy'n tynnu sylw'r ferch, hithau ymhellach o'r llewyrch ac yn ei wylio, ei wylio. Gwybod nad ydi o'n ei gweld yn glir. Cyffyrddiad sy'n dangos fod ganddo'r amynedd i fwytho corff, yn annwyl ond eto'n hunanol.

Cyrraedd eu gwlâu yn drwm flinedig a chysgu ar ei gilydd maen nhw gan amla', heb amynedd i ddweud nos da heb sôn am roi hanner eiliad i gyffyrddiad ystyriol. Maent yn deffro ryw ben â braich neu goes wedi mynd i gysgu, rhyddhau eu hunain, syrthio'n swp i ddau hanner y gwely. Neu, dro arall, deffro ddigon i fod yn ymwybodol o'r llall. Troi'n ôl at yr ystum gwydr gwin nes fod brys y rhaeadr ynddyn nhw, y ddau yn mynnu hoelio'r llall i'r gwely – nid yn eu tro ond ar yr un pryd. Dim ond ebychiad a'r cwbl drosodd. Deffro a'u dwylo'n chwys, yn brifo, dal yn dynn yn ei gilydd, fel petai'r ddau yn flin am rywbeth.

Byddai Anwar yn gadael blew yn sebon y ddynes pan fyddai'n defnyddio ei chawod. Dylai hi gofio pethau fel'na, ei mam yn protestio mai anweddus oedd gosod ei hystafell ymolchi ar rent am arian poced, cofio'r rhegi trwy'r wal. Ond nid dyna roedd hi'n ei gofio fwyaf. Cofiai y byddai hi o leiaf yn trio gadael y fflat tra'i fod yno – prynhawn dydd Mawrth gan amla'. Ac y byddai hi'n dod yn ôl adre, nid i flew yn y sebon ond i sosban o gawl llysiau yn y gegin. Roedd y sebon yno hefyd, wrth gwrs, ond bod y cawl yn fwy amlwg. Cofiai ei phen-blwydd yn bump ar hugain pan nad oedd hi ond yn berchen gwely, desg, cadair ac ambell gactys. Yn hytrach na chawl, fyntau'n mynnu eu bod yn mynd allan am bryd o fwyd wedi'i wneud gan bobl a gawsai eu talu i wneud hynny yn well na fo. Cyrri iâr a hufen coco, lemonwellt, madarch yn arnofio yn y saws hefo tsilis; a phwdin reis a mango. Bwyta fel petai hynny'n mynd i ddod â diniweidrwydd yn ôl, neu ruthr o brotein. Roedd gwin, gormod o win. Ceisiodd hi ddwyn ei gwydr gwin gan ei fod mor ddel – ac yntau'n mynnu ei brynu iddi yn anrheg pen-blwydd.

Byddai'n dal i ddod ar ddydd Mawrth, weithiau a hithau allan, yr allwedd o dan y mat Croeso, weithiau, a hithau adre, yn gwrando arno'n delio hefo drwg y dydd yn ei ffordd ei hun, yn y gawod ac, ar ei ôl, y sebon hefo'r blew. Weithiau ar fore Mercher, os oedd o'n dal yno, bydden nhw'n caru yn ei gwely sengl. Hoffai nad oedd hynny'n golygu dim byd tu hwnt i'w phedair wal. Caru, cawod, cawl. Byddai o weithiau yn llenwi rhes mewn croesair cyn mynd.

Gorwedda'r dyn ar hyd a lled tywel glan môr. Fel arfer, mae wedi dewis ochr heulog yr afon a'i groen yn troi'n gneuen. Hithau, yn y cysgod, yn gafael yn dynn yn ei hysgwyddau poeth ei hun.

Mae Anwar yn gweiddi o'r tŷ ac, ar ôl y waedd, daw yntau hefyd, â phlât yn ei law.

Come on. Dwi 'di gwneud Plât Popeth i ni, meddai. Oi!

Mae'n gosod ei blât enfawr ar y graig fawr maen nhw'n ei defnyddio fel bwrdd, a chyn i'r ddynes symud, mae'r dyn wedi plymio'n ôl i'r afon, wedi nofio draw a cherdded heibio.

At y bwrdd! Mae'n cyffwrdd ei ffêr. Dod?

Fo ydi'r cyntaf i eistedd, ei ben-ôl gwlyb wrth y bwrdd. Mae'n pasio olewydd i'r ddynes a thaflu un arall at Guillespe, sy'n ei lusgo ei hun o bwll dŵr arall.

Ara' deg rŵan – mae 'na gerrig yn yr olewydd 'na. Iawn?

Gwna Guillespe blatiad iddo'i hun a mynd i fwyta mewn caban coeden.

Ar hyd trowser Anwar, mae lliwiau'r bwyd mewn paent, fel petai o wedi defnyddio'r paent fel cynhwysion.

Be ti'n peintio, gofynna'r dyn, ei ddannedd ar gnawd olewydd, yn ei rwygo o'r garreg.

Chi'ch dau, yn union fel oeddech chi gynne. Gewch chi weld, medd Anwar, ac edrych at y cymylau, ond does dim cymylau. Yn osgo gwddw Anwar, a'i afal breuant i'r awyr, gwêl y ddynes o fel y byddai'n arfer bod, am y tro cyntaf ers iddi gyrraedd. Chwip o drymder meddwl yn pasio heibio'i lygaid, efallai.

Dyna pryd mae'r ddynes yn rhoi ei phen o dan y dŵr am y tro cyntaf ers iddi gyrraedd – gadael y pryd ar ei hanner a'i gollwng ei hun i'r pwll dyfna'. Nid trochi hyd at ei gên ac ymylon ei gwallt ond y gweddill ohoni hefyd. O'r tu mewn i'r afon, gwêl goesau'r ddau ddyn a'u cyhyrau yn galed yn erbyn y graig. O bryd i'w gilydd, eu hwynebau hefyd yn troi i gyfeiriad y dŵr. Ond eu traed ar y graig yn fawr ac yn pwyntio i gyfeiriadau gwahanol.

Od, meddylia – y pethau sy'n sydyn erotig, pan oedden nhw'n anweledig dim ond ychydig yn ôl. Ac yna – ei chroen ei hun yn ddigon i'w dychryn. Mae'r math yma o gariad – os meiddiai ei alw'n gariad – yn ddigon i wneud iddi beidio â dod yn ôl i fyny o gwbl. Nid cariad ydi o. Ond pa ddewis sydd ganddi? Mae ei golwg o'r lan yn dameidiog. Daw i'r wyneb i gymryd anadl a'i cheg yn llydan fel brithyll; plymia eto, a'i chroen yn fwy bywiog bob tro. O dan yr wyneb, mae'n tynnu hynny o ddillad sydd ar ei chorff a'u taflu. Mae'r ddau ddyn yn ei gwylio a gŵyr hithau hynny. Efallai nad oedd dod yma yn syniad doeth, efallai mai yn un o'r ceir eraill y dylai hi fod wedi bod, ar y draffordd i gyfeiriad gwahanol, ond mae'n rhy hwyr.

Pornograffi

[bnth. S. *pornography*]
eg. Ysgrifeniadau, lluniau, ffilmiau, &c., y mae ysgogi
cyffro rhywiol yn bennaf pwrpas iddynt.

Jon Gower

Bore arferol, unwaith yn rhagor, o drafod syniadau er
mwyn gweld a oedd 'na un a fyddai'n medru troi'n aur
neu'n arian. Yn eu swyddfa fodern ym Mae Caerdydd,
roedd y ddau gynhyrchydd teledu yn cyfnewid
amlinelliadau a fformatau dros *latte* ṭal o un o'r
gwneuthurwyr coffi *boutique* sy'n britho strydoedd y
ddinas y dyddiau 'ma. 'Mae arogl siarp ucheldiroedd
Gwatemala i'w ganfod ynddo,' yn ôl yr hysbysebion.
Byddech yn disgwyl rhywbeth eitha siarp a ffantastig
mewn cwpaned oedd yn costio'n agos at bumpunt, gyda
hufen ar ei phen yn gost ychwanegol. Sipiodd y ddau'n
araf a meddylgar.

'Beth yw *fluffer* yn Gymraeg, Iestyn?'

'Dwi ddim yn gwbod beth yw *fluffer* yn Saesneg heb
sôn am Gymraeg. Am beth ti'n sôn?'

'Rhywun sy'n cael dyn yn galed wrth wneud porno
ffilm.'

'Yn galed? Ti'n meddwl ...?'

'Ydw, Iestyn. Rhoi stiffi iddo, sicrhau codiad, cael e lan ... Fel ei fod e'n medru perfformio.'

'A'r rheswm ti eisiau gwybod hyn yw ...?'

A chyda hynny, dyma Thelma Haf Andrews, cynhyrchydd teledu ers i deledu ddod i fodolaeth, bron, yn dechrau esbonio ei chynllun newydd, sef ffordd o arallgyfeirio'r cwmni yn wyneb y ffaith fod arian S4C wedi crebachu cymaint. Wedi crebachu'n wir i'r graddau nad oedd yn bosib fforddio lot mwy ar gyfer llenwi rhaglen na thalu cwpwl o fois rygbi i eistedd ar soffa a thrafod eu hantics diweddara, neu symud *Fferm Ffactor* i'r oriau brig, gyda pharlwr godro newydd a gwyliau yn Mozambique yn brif wobr i'r ffarmwr lwcus. Pornograffi Cymraeg, ie, dyna oedd yr ateb. Pefriai llygaid Thelma wrth iddi restru'r posibiliadau. Hec, gyda'r holl ddysgwyr allai fod yn edrych ar y deunydd, gallech chi gael grant neu ddau, bownd o fod.

Edrychodd ei phartner yn y cwmni, Iestyn Thorpe, arni'n syn. Ond erbyn iddi esbonio'r cynllun busnes roedd yn amlwg ei fod yn fanylach a mwy gonest o bell ffordd nag unrhyw gynllun busnes roedd y cwmni wedi'i gynhyrchu yn y gorffennol, oherwydd os oedd rhywun ar y trên grefi doedd dim angen bod yn rhy fanwl ynglŷn â faint o grefi'n union a gâi ei gynnig. Ond gyda'r cynllun newydd, roedd angen bod, wel, yn fasnachol. A dyna'n union sut roedd Thelma wedi bod yn ei lunio.

'Mae angen seren arnom ni, na, dwy seren, un dyn, un fenyw, pobl mewn gwd nic ac sydd â stamina rhywiol arbennig. Rhywun gyda chorff da sy'n medru mynd fel trên stêm am ddwyawr neu fwy ...'

'Allwn ni ddim dodi'r cymwysterau 'na yn *Golwg*. Gawn ni bob perf o fan hyn i Resolfen yn hala mewn.'

'Hala beth mewn yw'r cwestiwn. Dwyt ti ddim yn gweld y pictiwr mawr, wyt ti? Bydd y deunydd byddai rhywun yn hala i fewn yn ddeunydd da ar gyfer y sianel.'

'Sianel? Iesgern tost! Eiliad yn ôl roeddet ti'n sôn am ffilmiau a nawr mae'r peth wedi chwyddo i fod yn sianel.'

'Chwyddo, *my dear Iestyn*, yw'r *very* gair.'

Chwarddodd y ddau yn braf wrth i Iestyn ddechrau cymysgu Aperol Spritz cynta'r diwrnod. Wedi'r cwbl, roedd y cwpanau coffi'n wag ac roedd hi wedi hen droi'n hanner dydd. Ac roedd ganddynt rywbeth i'w ddathlu. Roedd ganddyn nhw gynllun. Nawr, yr unig beth roedd ei angen oedd ei wireddu.

Dros y dyddiau nesaf gwyliodd hi, Thelma, oriau ac oriau o bornograffi meddal a chaled a pheth stwff ych-a-fi. Diflannodd Thelma i fyd o gyrff bob-siâp a gymnasteg cnawdol doedd hi prin wedi dychmygu ei fod yn bod – a hithau'n rhywun oedd yn ei gweld ei hun fel menyw hynod brofiadol ym maes y camweddau – wrth iddi wneud ymchwil trwyadl i weld beth oedd at ddant rhywun ym myd pornograffi. Nid taw dant oedd yr union ddarn o'r corff dan sylw – ac ar ben gweld syrffed o gyrff noeth a charnifa! o sugno, roedd hi'n synnu gweld manylder gofynion ac obsesiynau pobl. Synnodd weld y categorïau i gyd, heb sôn am yr actio gwaeth na *Pobol y Cwm*, er, yn y diwedd, dechreuodd ddychmygu rhai o drigolion Cwmderi wedi gwisgo lan fel nyrsys, neu mewn lledr tyn fel Fraulein ddominyddol o Hambwrg. Doedd dim dwywaith bod yr oriau diwyd o flaen y sgrin wedi dechrau effeithio arni ond gallai weld nad oedd angen rhyw lawer iawn o Gymraeg ar y sianel. Gallai actor neu actores ychwanegu ambell air o ebychu ac anadlu trwm i'r sowntrac, ond gallai sawl golygfa weithio heb yr un gair mewn unrhyw iaith. A datblygodd ei geirfa wrth iddi ddysgu am Bukkake, MILF, Hental a Panda Style. Er yr amrywiaeth, gwelodd yn gyflym iawn fod yr elfennau hanfodol − naratoleg y ffilmiau bach brwnt a chwyslyd yma − i gyd yn debyg i'w gilydd. Os taw saith math o jôc sydd 'na, neu saith math o naratif, yna roedd yr un peth yn wir am ffilmiau ffwc. Ond roedd hi'n methu aros am gael dangos ambell un i Iestyn, jest i roi sioc iddo fe, neu wneud iddo boeni'n arw am yr hyn roedd hi'n mynd i ofyn iddo'i wneud. Roedd 'na ddiafol bach ynddi oedd am ofyn iddo wisgo lan mewn rhywbeth hurt, jest am laff. Oherwydd roedd pobl yn gwisgo'r pethau rhyfeddaf.

Prin fod yr un o'r ddau wedi clywed am y We Dywyll cyn hyn, ond erbyn diwedd wythnos o ymchwilio a defnyddio'u hadnoddau sinistr, roedd Thelma ac Iestyn wedi hen gynefino â'r ffaith fod 'na we arall ar gael, un gyfrin, un ar gyfer tor cyfraith a phethau dan radar cymdeithas − cyffuriau, gwerthu arfau, caethweision modern − ac roedd y ddau wedi cael pleser o greu enwau ac, yn wir, gwmnïau newydd i'w gilydd wrth iddynt ddechrau hysbysebu am bobl a allai gymryd rhan yn eu prosiect heb fod neb yn gwybod. Ac ar ôl i Thelma wneud tamaid bach o ymchwil, sylweddolodd y gallai'r broses castio fod yn rhan bwysig o greu deunydd deniadol ar gyfer Sianel XX, sef yr enw newydd roedd hi wedi'i fathu heb fawr o ymdrech. Ond cyn cychwyn, roedd yn rhaid iddi ofyn un cwestiwn mawr i Iestyn.

Penderfynodd aros nes eu bod nhw wedi bod am un neu dri o goctels yn eu lle arferol ar nos Wener, cyn gofyn cwestiwn gyda dannedd siarp fel magl fetal.

'Iestyn...' Edrychodd Thelma arno fe gyda'r llygaid llo 'na roedd hi'n medru eu defnyddio pan oedd arni eisiau rhyw ffafr fawr, rhywbeth yn bell, bell y tu hwnt i'r cyffredin. Fel y tro 'na ro'n nhw'n gwneud cais i wneud rhaglen *Crimewatch*, ac angen dod o hyd i rywun oedd yn fodlon mynd i garchar am rywbeth roedd e heb ei wneud er mwyn iddyn nhw ennill y contract. A whare teg, llwyddodd Iestyn i berswadio ei gefnder i bledio'n euog i ladrata pum car, er nad oedd y pwr dab hyd yn oed yn berchen ar drwydded yrru, nac yn wir, yn gwybod sut i yrru car. Ond drwy wneud ffilm am fynd ar ei drywydd a'i ddal e, er bod tri heddwas wedi methu â gwneud, eu cwmni nhw, Bricamoni, oedd wedi ennill y cytundeb, a'i gadw nes yr aeth pethau o le. Ond mae honno'n stori arall.

'Iestyn. Ry'n ni wedi bod yn ffrindiau nawr am, beth, yn agos at ugain mlynedd? A'r peth sydd wedi cadw Ar y Bocs yn gwmni llwyddiannus tra bod sawl cwmni mwy cyhyrog a, wel, talentog, wedi mynd i'r wal yw ein perthynas ni'n dau. Ry'n ni'n gadarn gyda'n gilydd. Dwi'n ymddiried ynot ti ac rwyt ti'n ymddiried yno' i, ac mae hynny'n golygu nad oes rhaid i ni ofyn cwestiynau i brofi hyn a'r llall. Ond nawr, mae angen gofyn rhywbeth i ti. Rwyt ti'n ddyn golygus, a dwi'n gwybod yn iawn dy fod wedi cysgu 'da hanner y menywod sydd wedi gweithio i'r cwmni dros y blynyddoedd ond ... wyt ti'n medru ei wneud e 'da unrhyw un?'

Gwawriodd hanfod cwestiwn Thelma arno wrth iddi

hi ei ofyn, hyd yn oed, ac ar ei waethaf bu'n rhaid iddo gochi. Nid oherwydd y cwestiwn, ond oherwydd bod Thelma yn un o'r menywod 'na oedd wedi cadw pethau'n hollol an-rywiol, hyd yn oed pan oedd y ddau ohonynt wedi bod mor feddw ar siampên nes eu bod nhw'n siarad Ffrangeg ac yn smocio'r un Gitanes ar yr un pryd, yn y ffordd fwya nwydus bosib. Cytunai gyda hi fod hynny wedi bod yn rhan sylweddol o'u hirhoedledd fel partneriaeth.

'Wyt ti'n gofyn am resymau proffesiynol?' holodd Iestyn, ei lygaid yn wylo gan effaith y gadwyn o fodca martinis roedden nhw wedi'i hyfed.

'Ydw, Iestyn. Ma' 'da ni rywun yn dod draw yn y bore am sesiwn castio – menyw sy'n swnio'n reit addawol ond does gen i neb i witho gyda hi.'

'Gwitho? Ffwcio ti'n feddwl?'

'Os yw hi'n mynd i fod yn seren yna mae angen i rywun ei helpu hi i serennu.'

'Ond alla i ddim … Ma' gen i wraig a phlant. Alla i ddim bod yn styd ar y sgrin. Beth sy'n bod arnat ti, Thelma?'

'Dim gair pathetig arall o brotest, Iestyn. Dyw'r ffaith eich bod chi'n briod heb amharu dim ar dy yrfa fel lothario gwaetha'r diwydiant. Bydd hi yma am naw. Bydda'n barod achos dwi ddim eisiau dy fflyffio di.'

Roedd yn rhaid i Iestyn chwerthin am hynny, er, roedd 'na ran ohono fe oedd yn meddwl taw'r peth mwyaf atyniadol ynglŷn â'r bore oedd y posibilrwydd o gael fflyffiad gan Thelma. Er eu bod nhw wedi cadw mas o'r gwely dros y blynyddoedd, doedd hynny ddim yn golygu nad oedd e'n ei chael hi'n atyniadol iawn. Yn ei ffordd Margaret Thatcher-aidd roedd hi'n fenyw a thri chwarter, ac fel y byddai ei fam-gu yn ei bwthyn bach yng Nghimla'n ei ddweud, 'mae pŵer yn affrodisiac'. Ie, byddai fflyffiad bach ganddi yn rhywbeth i'w chwennych a'i fwynhau.

Ben bore, cyn hanner awr wedi chwech yn swyddfeydd *Y Byd ar Bedwar*, roedd Carys Mai yn cael sgwrs hir a dwys gyda golygydd y rhaglen am y stori nesa, yr un a ddaeth yn sgil ateb hysbyseb ryfedd oedd yn rhyw led-awgrymu bod rhywun am wneud 'cnawd-fflic' yn Gymraeg. Gwenodd y golygydd o glywed y bathiad dwl. Ond roedd e am wneud yn hollol siŵr ei bod hi'n hapus ynglŷn â goblygiadau'r hyn roedd hi'n mynd i'w wneud. Byddai hi'n eu ffilmio nhw yn ei ffilmio hi, ond doedd hi ddim i fod i wneud unrhyw beth oedd yn gwneud iddi deimlo'n lletchwith o gwbl, ac unwaith roedd hi wedi cael digon o dystiolaeth ynglŷn â'r hyn roedd y ddau yma'n ei wneud, yna'r peth gorau fyddai iddi roi rhyw fath o esgus, neu jest tynnu ei hun allan o'r sefyllfa drwy ddweud ei bod hi wedi gwneud camsyniad.

'Ond 'dyn nhw ddim yn gwneud unrhyw beth i dorri'r gyfraith, odyn nhw?' gofynnodd Carys, wrth iddo wisgo'i siaced ledr amdani.

'Dim hyd yma. Ond os y'n nhw'n mynd am grant gan y Llywodraeth, yna bydd gyda ni'r dystiolaeth i wneud stoncyr o *exposé*. Meddylia, y cwmni teledu mwyaf profiadol yng Nghymru yn gwneud porn, gydag arian cyhoeddus yn gefn i'r fenter! Diawl, bydd hwn yn fwy o sgŵp na David Brown.' (David Brown oedd y canghellor prifysgol a gafodd ei ddal yn prynu cyffuriau ar raddfa ddiwydiannol i'w gwerthu i'w fyfyrwyr ei hunan.

Enillon nhw wobr BAFTA Brydeinig am y sgŵp rhyfeddol hwnnw.)

'Ocê 'te, Carys. Fel wnes i weud, gad y lle y foment ma' 'da ti ddigon o dystiolaeth. Dwi'n nabod y stiwdio. Lawr Ocean Way, ar y stad ddiwydiannol fawr 'na. Bydd Daf a Rowena yn aros yn y car rownd y gornel a chofia ffonio fi unwaith 'yt ti mas o 'na i weud beth aeth ymlaen. A paid meddwl 'mod i ddim yn sylweddoli pa mor anodd yw hyn. Mae'n anoddach, dybia i, na mynd i Helmand, neu mewn i Baghdad. Ond ti yw'r ohebwraig orau ac oherwydd dy ddiffyg ofn, gallwn ddibynnu arnat ti i wneud unrhyw beth. Ond bydda'n ofalus. Fel dwi'n weud 'thot ti drwy'r amser, achos mae'n rhaid i mi weud e: bydda'n ofalus iawn. Yn yr achos hwn, cadw dy urddas yw'r nod. Gan wneud yn siŵr fod y camera bach yn dy fag yn pigo lan pob peth. Thelma Haf Roberts a Iestyn Thorpe. Am bâr!'

Yn y car, dododd Carys fêc-yp ar ei hwyneb fel tase hi'n mynd i wneud rhaglen stiwdio. Fel roedd y bòs yn ei awgrymu, roedd hwn yn gìg anoddach nag arfer oherwydd ei fod mor anarferol. Pan ymunodd â chriw'r rhaglen nid oedd neb wedi dweud wrthi y byddai hi'n gorfod pilo'i dillad am naw o'r gloch y bore. O flaen Iestyn Thorpe, oedd ag enw drwg fel lothario ymhlith pobl y byd teledu. Winciodd arni ei hun yn nrych y car, ond teimlai fel ystum gwag rywsut. Dawnsiai'r pilipalod yng nghrombil ei stumog. Dawnsio rhymba, yn wir.

'Dewch i fewn, dewch i fewn,' dywedodd Thelma, gan fflapio'i breichiau fel fwltur yn ceisio codi oddi ar y ddaear. 'Ry'n ni wedi cael y gwres 'mlaen ers yn gynnar y bore 'ma, felly fydd dim rhaid i chi sythu wrth … wrth

... wel, chi'n gwbod. Ma' Iestyn wedi bod yn twymo lan yr hen beips hefyd ...'

Gyda hynny, dyma Thelma'n chwerthin yn annaturiol o uchel, gan wneud sŵn cwynfanllyd fel Cruella de Ville yn *101 Dalmatians*. Roedd yr amseru yn anffodus gan fod Iestyn wedi cerdded i mewn yr un pryd, wedi bod yn fflyffio'i hun, yn amlwg. Er, nid mor amlwg â hynny. Nid 'amlwg' oedd y gair o edrych ar wep Thelma'n cwympo wrth edrych ar godiad ei chyd-weithiwr. Allai neb hongian cot ar y bwlyn bach 'na. Bu bron i Carys chwerthin hefyd, o weld y slipars ar draed Iestyn oedd yn gwneud iddo edrych fel swltan yn *Aladdin* – pethau porffor gyda phom-poms hurt ar bob pen.

'Mae'r camera'n barod, a'r goleuadau yn eu lle, felly, 'na gyd sydd eisiau nawr yw tamaid bach o *action*. Chi'n barod i ddiosg, a dangos eich, bechingalw, eich rhinweddau? Rhannu eich rhinweddau amlwg 'da'r byd ... ym ... beth yw eich enw eto?'

'Myfanwy,' dywedodd Carys, gan gofio ei bod hi'n gorfod ateb pob cwestiwn gydag ateb ffals, i wneud yn siŵr na allai'r un o'r ddau ddyfalu pwy oedd hi nac o ble yr oedd hi'n dod. Synnai mewn ffordd nad oedd yr un o'r ddau wedi ei hadnabod yn barod, oherwydd nid dyma'i hunig job i'r *Byd ar Bedwar*, ac roedd hi wedi ymddangos ar y sgrin deirgwaith yn barod. Ond nid oedd Carys mor naïf â thybio bod pobl oedd yn gweithio i'r Sianel yn gwylio'r Sianel. Na, byddai hynny yn anonest, a nhwythau yn lladd ar gynnwys pob rhaglen ar wahân i'r un yr oeddent wedi ei chyflenwi, gan anfon yr anfoneb i mewn yn syth ar ei chynffon.

'Ym, o's rhywun yn mynd i neud rhywbeth achos

dwi'n colli uchder yn barod,' pryderodd Iestyn, gan edrych i lawr rhwng ei goesau.

'Cwic, Myfanwy, gwna rywbeth ...'

Bron nad oedd gan Carys ddigon o amser i ddodi ei bag ar y bwrdd a gwasgu'r botwm bach 'record' oedd yn yr handl cyn ei bod hi'n gorfod camu draw at Iestyn ac estyn am ei goc.

'Nefi wen, ma' dy ddwylo di'n rhewi, fenyw,' bustachodd Iestyn, gan gamu'n ôl a bwrw'r ail gamera oddi ar y ddresal, a'r teclyn bach yn torri mewn ffordd annisgwyl o ystyried bod y pethau yma wedi eu cynllunio i fod yn tyff.

'Efallai y dylsech chi drial rhywbeth bach, wel, mwy sytl, tamaid bach o *foreplay* efallai ...' awgrymodd Thelma, wrth iddi geisio cofio faint yn union roedd hi wedi'i dalu am y camera bach yn yr arwerthiant ar-lein. Nid crocbris, efallai, ond hanner crocbris yn sicr. Damo. Byddai'n rhaid iddi ddefnyddio'r un camera ar gyfer y siots llydan a'r rhai tyn, ac er bod hynny yn bosib – ac y gallai dyn camera profiadol wneud yn siŵr bod deunydd da i'w olygu – nid oedd gan Thelma fawr o brofiad, ac roedd y dewis o fotymau bach i'w gwasgu yn gwneud iddi deimlo'n niwrotig braidd.

Rhewodd gwaed Carys ychydig wrth feddwl ei bod hi'n mynd i orfod cusanu Iestyn, a hithau'n gwybod yn iawn beth oedd eu perthynas â'i gilydd. Gwyddai y gallai greu senario yn ei phen lle roedd hi yn y gwely gyda Johnny Depp, neu Michael Wood yn y jîns tyn 'na roedd e'n eu gwisgo ar y cyfresi hanes 'na. Ond nid oedd yn bosib iddi ffantasïo'i ffordd at hynny oherwydd y sŵn a ddaeth i'w chlustiau: sŵn gwefusau Iestyn Thorpe yn slyrpio'n awchus cyn iddo lyncu Extra Strong Mint i ddifa arogl alcohol y noson gynt.

O, mei god. Nid newyddiaduraeth oedd hyn ond aberth. Beth oedd y stori yn fan hyn? Bod dau gynhyrchydd teledu yn gwneud porn i gadw'r cwmni i fynd? Er mwyn cael grant o gwarter miliwn? Oedd stripio o flaen y ddau 'ma yn werth y stori? Wrth i Carys ddatod botymau ei chrys silc meddyliodd am y llu o storïau eraill oedd yn haeddu, yn mynnu cael eu dweud. Tlodi ymhlith plant Cymru. Datod botwm arall. Torri grantiau'r anabl unwaith eto. Botwm tri. Stori'r dyn 'na oedd wedi torri ei gefn yn y gwaith dur oedd yn gorfod cael ei hun o'r gwely gan ddefnyddio bwced metal, gan godi ei hun ar y bwced cyn moelu hwnnw a disgyn i'r llawr. Botwm olaf. Y croen yn dod i'r golwg, tan y Nadolig yn dal i roi lliw caramel iddo. Syllodd Iestyn arni fel wenci yn llygadu cwningen fach ac, o, na, roedd e'n dechrau cael codiad. Ac wrth iddo galedu, lledaenodd gwên faleisus dros ei wyneb, a golwg o chwant ac awch wrth iddo ddechrau chwysu a chochi dan bwysau'r angen rhywiol oedd yn dechrau trefnu'r ffordd roedd e'n symud, yn paratoi ar gyfer cyfathrach.

Oedd hi, Carys, wedi gweld digon? Oedd y camera wedi ffilmio digon? Oedd Thelma mewn ambell siot? Neu mewn digon o siots? Ei hwyneb yn ddigon clir fel nad oedd amheuaeth pwy oedd yn ffilmio ac yn cyfarwyddo *lover boy* wrth ei waith? Credai Carys ei bod hi, ond erbyn hyn, roedd hi'n sefyll yno yn ei bra ac roedd y wenci'n symud yn agosach, mor agos, yn wir, nes nad oedd hi ond yn medru ogleuo mints, a'r arogl hwnnw'n codi cyfog arni. Byddai angen gwneud yn siŵr bod digon o ddeunydd i lenwi'r rhaglen ond hefyd ddigon o dystiolaeth gadarn i gadw'r cyfreithwyr yn hapus, oherwydd byddent yn cribo dros y sgript yn ofalus iawn, yn chwilio am enllib a chamwedd ac unrhyw beth allai sicrhau bod y cwmni teledu o flaen ei well.

'Action!' gwaeddodd Thelma, ei llais wrtho'i hunan yn uwch na megaffon. 'Action! ... Ewch amdani nawr! Siagiwch e, fenyw!'

Dyna oedd y ciw. Rhuthrodd Carys allan o'r stafell mewn panig gwyllt gan sgubo'i bag oddi ar y bwrdd wrth iddi wneud. Y tu ôl iddi, gallai glywed Thelma'n gweiddi 'Beth ffwc?', ond roedd Carys ar ei ffordd drwy'r drws ffrynt erbyn iddi sylweddoli bod seren ei ffilm yn seren wib, a'r seren honno ar fin gwibio i lawr y stryd yng nghar y cwmni, gyda Daf yn gyrru a Rowena'r ymchwilydd newydd yn gofyn, 'Gest ti'r siots, do fe? Wnest ti eu cael nhw?'

Teimlodd Carys wres yn symud drwy ei chorff, rhywbeth yn debyg i orgasm, wrth iddi sylweddoli bod ganddi'r siots. O, Dduw mawr, roedd ganddi'r siots. Iestyn yn noeth ac yn gwisgo'r slipars stiwpid 'na. Thelma yn bihafio fel rhywun wedi colli ei phwyll wrth iddi wasgu pob botwm ar y camera. A hithau'n cael gorchymyn i stripio o'u blaenau ac yn cael cadarnhad y byddai'n derbyn chwe chan punt am wneud. O, oedd, roedd ganddi'r stwff, a mwy wedyn.

Dros yr wythnos nesaf, bu'r tîm o newyddiadurwyr stilgar yn paratoi eu rhaglen am gwmni Ar y Bocs drwy wneud cyfweliadau gyda gweinidog mewn capel efengylaidd am y ffordd y mae pornograffi yn dibrisio menywod, a hefyd, gomisiynu arolwg barn ynglŷn â defnyddio'r Gymraeg mewn ffilmiau a deunyddiau egsblisit. Roedden nhw'n creu cyd-destun a safbwynt beirniadol ar yr un pryd, ac roedd golygydd y rhaglen wrth ei fodd oherwydd ffresni'r pwnc a hefyd ansawdd y dystiolaeth, heb sôn am y ffaith ei fod wedi cwrdd â Iestyn X droeon mewn nosweithiau BAFTA ac roedd y dyn yn codi cyfog arno fe; un o'r sleimbols teledu 'na sy'n byw yn y dŵr mwll ar waelod y pond dŵr, lawr fan'na yng nghanol y llysnafedd a'r cachu broga i gyd. Pleser digamsyniol fyddai dangos ei daclau noeth ar y sgrin fach yn dilyn gair o rybudd oherwydd bod slot y rhaglen cyn trothwy naw o'r gloch, a'i bod yn rhaid parchu rheolau OFCOM ynglŷn â'r pethau hyn.

Heb yn wybod i'r newyddiadurwyr talentog, roedd deuawd diwyd Ar y Bocs hefyd yn gweithio ffwl pelt, oherwydd roedd llond bws o swingars wedi troi lan o Gydweli a gwirfoddoli i wneud bron unrhyw beth, a phob un ohonynt yn siarad gydag acen Sir Gâr oedd fel sŵn y bryniau gwyrddion ac awel fwyn yn chwythu drwy goed deri Dyffryn Tywi. Llwyddodd Iestyn a Thelma i saethu tair ffilm hanner awr mewn bore, gyda phobl yn gwisgo lan, yn cnychu'n wyllt, yn gwneud hyn a'r llall, ac wedyn mwy o hyn, ac wedyn y llall ond wyneb i waered, a daeth Frans, y golygydd mwya cyflym yn y busnes, draw i weithio'r peiriant AVID am brynhawn. Ac erbyn chwech o'r gloch roedd y deunydd yn barod i'w ddybio, a Thelma'n ychwanegu anadlu trwm oedd yn swnio fel petai hi yng nghanol pwl o'r fogfa. Ac i goroni'r cwbl, byddai Iestyn yn ychwanegu ambell linell o ddeialog ychwanegol hwnt ac yma – 'Llenwa fi!' ... 'Mwy!' ... 'Nawr!' ... 'Alla i ddim cymeryd lot mwy, capten.'

Wedi cwpla, edrychodd y ddau ar y deunydd unwaith

eto cyn lawrlwytho'r stwff ar safle porn llwyddiannus. Byddent yn cael tâl yn ôl y nifer o bobl fyddai'n gwylio, a doedd yr un o'r ddau'n disgwyl gwneud ffortiwn. Ond byddai'n well na dim byd, a dyna i gyd roedd y cwmni wedi'i ennill o fyd teledu yn y tri mis blaenorol.

Yn hwyrach y noson honno, trodd Wiliam Amos y golau bant yn y parlwr godro cyn ei throi hi am y tŷ. Torrodd ddarn mawr o fara i'w fwyta gyda chwlffyn mawr o gaws ac wedi cwpla'r swper syml, aeth i newid, gan adael ei oferols gwaith ar y fainc wrth ymyl y lle tân i sychu erbyn y bore. Y tu allan, treuliodd dwy dylluan funud neu ddau yn cynnal ymgom rhyngddynt am lygoden y maes a aeth o afael eu crafangau, efallai. Gwrandawodd ar sŵn yr adar yn nadreddu drwy'r coed bedw wrth iddo newid i'w byjamas. Yn reddfol, trodd y ffotograff o'r ddiweddar wraig, Phyllis, i wynebu'r wal cyn eistedd o flaen y cyfrifiadur. Aeth yn syth i Porno Bonanza, ei fysedd yn dechrau crynu'n barod.

Yna, wrth weld y geiriau Cymraeg yn disgrifio'r danteithion cnawdol a'i disgwyliai, datododd gortyn ei byjamas cyn setlo i lawr i wylio.

Heno, byddai'n helpu i achub yr iaith. Diawch erioed, byddai'n ei hachub hi ddwywaith efallai. Hynny yw, os oedd y bobl borcyn o Gydweli yn gwneud eu stwff yn iawn. Cydweli, ife? Pwy feddyliai?

Does dim amdani

Aled Islwyn

Fi sy'n ei thynnu o'r dŵr. Ei chario hi i'r tra'th. O'r gore! Walle'i fod e'n edrych yn debycach i lusgo na chario. Ond sdim dwywaith amdani mai i fi ma'r diolch ei bod hi'n ddiogel; y dduwies argyfyngus hon. Ei gwallt yn ddu fel y fagddu, a chanddi ddwy fron nobl gyda darnau o wymon fel petaen nhw wedi'u glynu ar yr un chwith.

O 'nghwmpas, mae pobl yn dal i gerdded yn urddasol fel 'se dim byd anghyffredin yn digwydd wrth eu tra'd. Rhai'n dilyn y ffin rhwng y dŵr a'r tywod sych – a hynny i gyfeiliant eu fflip-fflops yn achos ambell un – tra mae eraill yn rhuthro am y môr er mwyn ymdrochi ynddo'n llwyr.

'Ni i gyd yn borcyn, wrth gwrs. Wedi'r cwbl, traeth noethlymunwyr yw hwn, o hir arfer. Fe gas ei glustnodi felly'n swyddogol flynydde'n ôl bellach. Ma' 'da ni hawl i fod 'ma yn gwmws fel y ceson ni ein creu, yn gymysg oll i gyd. Dyma shwt fydde'r Rhufeiniaid yn ymaflyd codwn slawer dydd. Yn wir, dyma fydden nhw wedi'i wisgo wrth wneud pob camp – sef dim. A daeth cryn fri ar wahanol gymdeithasau noethlymunwyr yn yr

74

Almaen ac Awstria yn y blynyddoedd wedi'r Ail Ryfel Byd medden nhw i mi. Pobl yn dod ynghyd i nofio a mynd ar drywydd natur ac yn y bla'n, er mwyn cysylltu o'r newydd 'da'u treftadaeth. Ailddysgu shwt i fyw yn eu crwyn eu hunain drachefn ... yn llythrennol. Ffordd iachusol o ddod yn ôl at eu coed yn dilyn y gwallgofrwydd.

Ond y cwestiwn mawr sy'n 'yn wynebu i nawr yw, ody'r wraig fonheddig hon, sydd ar lawr fan hyn, yn dal yn fyw ai peidio. Lawr â fi ar 'y nghwrcwd, gan betruso braidd rhag cydio yn ei braich, am fod tatŵ mawr o sarff yn nadreddu ei ffordd o'i garddwrn dde – sef yr un sydd nesa ata i – reit lan at ei chesail. (I fi'n bersonol, ffordd ddiymhongar o fod yn fi fy hunan yw noethlymundod, nid esgus i agor drws yr oriel gelf, i bawb gael gweld. Ond dyna fe ... symo pawb 'run peth, odyn nhw? Fel sy'n fwy nag amlwg ar draeth lle mae pawb yn noeth!)

·   'Cusan bywyd sydd ei angen arni, i weld a ddaw hi ati'i hun.'

Newydd blygu'n is ydw i, gan roi 'nghlust ar ei brest, i lawr rhwng ei dwyfron, pan ddaw llais y dieithryn 'ma i darfu arnaf. Fel mae'n digwydd, chlywa i'r un siw na miw yn dod o'r fynwes – dim ond mân donnau'r môr yn llyo'r traeth gerllaw – a dwi'n amau dim nad yw'r dyn yn iawn.

O edrych lan, fe alla i weld y boi 'ma'n edrych lawr arnon ni – myfi a'r fenyw – ei goesau ar led fel petai e'n *lifeguard* go iawn. Mae'n frown trosto ac yn amlwg yn hen law ar dorheulo, os nad ar achub bywydau. Rwy'n rhoi rhwydd hynt iddo ddal ei thrwyn ac anadlu mewn i'w cheg a phwmpio'i mynwes, a'r holl rigmarôl rwy wedi'i weld mewn ffilmie ac ar y teledu.

A jawch, mae'n gwitho! Yn sydyn, mae ambell ffrwd o ddŵr yn pistyllu dros ei gwefusau, ei breichiau'n cyffroi a'i hysgyfaint fel petaen nhw wedi penderfynu gweithio eto. Ddaw'r un pesychiad ohoni, fel rown i wedi ei ddisgwyl, ond ceidw'i choesau ynghyd mewn ffordd sy'n edrych yn annaturiol braidd, gan wneud swish sydyn yn ôl a blaen ar y tywod gwlyb, fel ergyd gwialen. Mi fydd hi fyw.

Rwy'n llongyfarch y dyn ar ei hadfer ac mae yntau'n ymateb trwy ddweud, 'Ond ma' dal golwg bell y jiawl arni, nago's e?'

O daro trem ddadansoddiadol dros yr hyn a welaf, alla i ddim llai na chytuno. Mae ei chnawd yn llwyd-oer fel marmor eilradd a'i llygaid prin yn agored, fel petai arni ofn yr haul. Lle byddai blew ar gorff naturiol, iach, mae'r croen yn llyfn. Llwydda i edrych yn osgeiddig ac yn afrosgo ar yr un pryd. Fel tywysoges sydd wedi mynd ar gyfeiliorn rywsut.

Gwnaf ymdrech i'w chodi yn fy mreichiau, er mwyn ei chario'n ôl at y fan lle rwy wedi gadel 'y mhethau draw yng nghesail y twyni. Ond rhaid i'r dieithryn cymwynasgar, sy'n iau ac yn fwy cyhyrog na fi, fy helpu i gael gafael ynddi'n iawn. Er ei fod yn grychiog yr olwg, daw'n amlwg o'i chyffyrddiad fod ei chroen yn dal yn dwyllodrus o lithrig – ac mae hi'n bendant yn drymach na'i golwg.

"Co 'mag a 'nhywel i fan 'co,' medde fi hanner ffordd lan y tra'th ac mae'r dyn yn saliwtio fel petai ei ddyletswydd drosodd, gan droi'n ôl at ba bynnag lwybr yr oedd arno cyn dod i gynnig help llaw.

Pêl fawr binc sydd newydd 'y nhynnu i'n ôl o'r dryswch cysglyd yn 'y mhen. Un o'r peli traeth hynny y bydd teuluoedd mor hoff o fynd gyda nhw pan ân nhw i lan y môr am ddiwrnod. Rhai plastig, llawn aer ... a hawdd eu malu. Hawdd eu colli hefyd! Pan oedd gen i deulu, fe gollon ni ûn unwaith – un anferth ac arni lun o Mr Urdd. Gas hi'i chipio'n glou gan awel gref a'i chario bant, mas dros y môr i ebargofiant. Chofia i ddim ar ba dra'th yn gwmws ro'n ni. Ond rwy'n cofio fod y plant yn drist ac wedi mynnu hufen iâ yr un yn iawn am eu colled.

Newydd dwrio am 'yn watsh yn y sgrepan ydw i, a sylweddoli inni orwedd fan hyn am hanner awr a mwy; y fi fan hyn a hithau wrth 'yn ymyl ar y tywel sbâr. Do, fe wnes i glosio ati gynnau a chodi 'mraich amdani am sbel – ond dim ond am 'y mod i am ei charco'n iawn. Fe ddechreuodd grynu – un o sgileffeithiau arnofio'n anymwybodol fel'na ar wyneb y dŵr, mwy na thebyg. Dyn a ŵyr am ba hyd fuodd hi 'co cyn y des i ar ei thraws!

Dim ond tybio y gallai gwres 'y nghorff helpu i sefydlogi'i thermostat mewnol wnes i – ac rown i'n iawn hefyd. Tawodd y cryndod. Serch hynny, tra 'mod i nawr yn chwys drabŵd, mae rhin rhyw oerni cennog yn dal i lynu ar ei chroen hi ac mae gwynt rhyw wlybaniaeth hallt yn rhan annatod o'i gwallt. Wrthi'n cymryd cysur o wbod iddi allu cysgu o'n i ... gan ara dynnu'n llaw yn ôl o lle y bues i'n ei chyffwrdd ... pan ddoth y bêl ddisymwth ar ei thraws.

Ar amrantiad, chwipiodd ei choesau lluniaidd o'r naill ochr i'r llall yn ffyrnig – gan ddal i roi'r argraff eu bod nhw'n mynnu glynu at ei gilydd fel gelen. Cheson ni ddim cymaint ag ochenaid o'i cheg, ond fe drodd ar ei hochr yn chwim, gan gau i mewn arni'i hun, fel 'se hi'n ôl yn y groth. Des inne ata'n hun yn go glou a llwyr werthfawrogi maint y gwrthrych crwn oedd newydd gyrraedd i darfu arnon ni. (Gadewch inni fod yn onest, do'dd dim modd anwybyddu'r blydi bêl!) Wrth ei chwt, gwelwn ferch fach rhyw bedair neu bum mlwydd oed yn rhedeg nerth ei thraed i geisio'i dal, yn llawn sgrechiadau bach chwerthinog.

"Ni mor flin!' Prin ddechrau dirnad beth oedd yn digwydd o'n i, na ddoth llais mwy awdurdodol oedolyn i darfu ar yr heddwch hefyd, a hwnnw'n dynn wrth sodlau'r groten. O'i glywed yn ymladd am ei wynt, daw'n amlwg fod y dyn mas o wynt wrth ei chwrso. Yn naturiol, tybiais taw tad y plentyn oedd e i ddechrau, ond o godi'n llaw i gysgodi'n llygaid, er mwyn gallu'i weld yn well, rwy'n amau tybed nad ei thad-cu yw e wedi'r cwbl. Ta beth! Dyma'r ferch yn ymestyn ei breichiau mor llydan ag y gallai i gyfeiriad cesail hon sy'n dal mewn trwmgwsg, gan afael yn ei phêl a'i chofleidio'n ôl i'w meddiant heb 'Esgusodwch fi!' na 'Diolch yn fawr!' na dim.

'Sdim ots o gwbl,' meddwn inne mor ddidaro ag y gallwn. Ac wedi taflu rhyw sylw smala am anferthedd ei chwaraebeth i gyfeiriad y ferch a chyfnewid ambell air digon cwrtais gyda'r dyn, dyma ni'n dau nawr wedi'n gadael ar ein pennau'n hunain unwaith 'to. Y fi'n ailorseddu'n sbectol haul ar 'y nhrwyn a hon sy nesa ata i fan hyn, gyda'i llygaid bellach led y pen ar agor. Maen nhw'n ddiffrwyth o ddu wrth rythu fry i grombil yr haul. Digon i godi ofan ar ddyn.

Chwys nid blys. Dyna pam rwy wedi dychwelyd i'r môr. Ishe arbed 'y nghroen ydw i. Mae'r dydd yn poethi fwyfwy wrth fynd yn ei fla'n. 'Na haf yw hwn eleni! Dwi ddim am losgi. A hyd yn oed wrth nofio, rwy'n llwyddo i daflu ambell gip draw at y twyni i wneud yn siŵr nad yw Madam wedi dod o hyd i'w thraed yn sydyn reit, a hel ei phac gyda 'mhethe i.

Mae wedi bod yn gorwedd yn ddiymadferth fel'na heb dorri gair byth ers imi ei rhoi i orwedd ar 'y nhywel. Rwy wedi trial siarad â hi fwy nag unwaith – mewn pedair iaith. Holi ei henw. Gofyn oedd 'da hi gar neu feic neu rywbeth yn aros amdani yn y maes parcio. Fi'n gwbod taw digon prin yw'n Ffrangeg a'n Sbaeneg i mewn gwirionedd, ond fe ddysges i ddigon i allu torri'r garw 'da phobl. Ond nid 'da hon. A do'dd dim yn tycio pan siarades i Gymraeg na Saesneg chwaith. Sa i'n siŵr ydi hi'n gallu 'nghlywed i, neu walle nad yw hi'n ymwybodol 'mod i 'na. Neu ife dewis 'yn anwybyddu i mae ddi, walle? Fel delw ffroenuchel?

Pan roies i botel o hylif haul yn ei llaw iddi gael iro'i chroen, fe symudodd ei bysedd hirion i gau amdani … a chymerais hynny fel arwydd da. O'r diwedd, rhyw inclin fod 'da hi reddfau a pheth rheoleth dros ei chorff. Ond wedyn, o fewn eiliad neu ddwy, fe ryddhaodd ei gafel drachefn a chwmpodd y botel o'i llaw, gan sarnu peth o'r hylif dros y tyweli. A hyd yn oed wedyn, ddywedodd hi'r un gair.

Dyw hi ddim 'y nheip i. 'Na'r gwir amdani. Walle nadw inne ei theip hi … sy'n ddigon teg. Fuodd 'da fi fowr i'w weud wrth wallt sy'n rhy ddu ar fenyw. Nid 'mod i'n un o'r rheini sy'n dwlu ar flonds ychwaith. Ond rwy wastad wedi gwerthfawrogi darganfod fod holl flewiach corff o leia o'r un lliw … mwy neu lai, ta beth. Wrth gwrs, 'da hon, sdim modd gweud. Mae mor wahanol i ddim y dois i ar ei draws o'r bla'n.

Rhyw frown-lwyd gole oedd pob tyfiant naturiol a berthynai i Dil. Alla i ond tybio taw dyna sy'n dal yn wir o hyd. O leia, ni newidiodd liw 'run blewyn tra o'dd hi 'da fi. Lliw neis i ddihuno iddo peth cynta'n y bore. Wy'n gweld isie 'ny. Ac erbyn meddwl, sa i wedi gorwedd mor glòs at yr un fenyw arall ers i Dil fy ngadel … ddim tan gynnau fach pan dries i gael honna draw fan'co i stopo crynu.

Gwell troi'n ôl at dir sych, siŵr o fod. Rwy'n sefyll ar fy nwy droed nawr, y tywod gwlyb oddi tanaf, a'r môr yn tawel lapio o gylch 'y mrest. O 'mlaen mae holl rychwant y tra'th a phawb sydd arno'n gloywi yn y tes – rhai'n dal i rodianna'n ôl a blaen a'r lleill ar wastad eu cefnau, neu ar eu heistedd yn llowcio dŵr o boteli plastig a bwyta brechdanau, sydd wastad yn ymddangos braidd yn ddiddychymyg i mi.

Cyn dechrau cerdded sha'r tra'th, rwy'n penderfynu gwneud cyfraniad bach personol i ddyfroedd y cefnfor. Gyda'r môr eisoes lan yn ddigon pell heibio 'mola, sdim angen imi ostwng yn is trwy blygu 'mhengliniau. Rwy'n bodloni ar blethu 'nwylo at ei gilydd ar fy ngwar, fel os bydd rhai o'r lleill a fentrodd mas mor bell â hyn o'r lan – ac sydd ergyd carreg yn unig oddi wrtha i yn achos ambell un – yn digwydd edrych draw, sdim perygl iddyn nhw feddwl 'mod i'n dal 'y mhidlen o dan y dŵr.

Cwpwl o gamau eto ac fe fydda i wedi cyrradd 'nôl. Gallaf glywed yr haul yn fishi'n llyo cro'n 'y nghefen wrth gerdded, ac mae 'mhledren yn wag. Dedwyddwch. A gwn eisoes fod 'y mhethe i i gyd yn dal yn eu lle. Gyda llai na dau ganllath cyn bod yno, 'co'n sgrepan a 'nhreinyrs i i'w gweld yn eglur, yn bentwr bach teidi ar ben uchaf y tyweli. Yr unig syndod nawr yw pam fod y ddau ohonyn nhw bellach yn wag.

Safaf yn stond wrth eu godre am eiliad, mewn penbleth. Nid wedi mwstro a dianc bant ma'r fenyw. Fe alla i ei gweld yn net, draw fan'co, tua hanner ffordd rhwng y llecyn 'ma lle ddodes i'n hunan yn ddeche am y prynhawn a'r pâr draw fan'co, oedd yno cyn imi gyrradd.

Sdim olion tra'd neb yn cerdded draw dros yr ychydig lathenni. Na golwg fod neb wedi cropian draw 'co chwaith. Ond ma' ôl ar y tywod fel 'se rhaca wedi'i thynnu trosto. Ife troi drosodd nath hi ... drosodd a throsodd sawl gwaith ... er mwyn cyrradd fan lle mae hi nawr? A pham fydde hi moyn neud shwt beth, ta beth? Beth oedd yn bod ar gael y tywel oddi tani?

Af draw i gymryd golwg arni. Mae'n dal i orwedd mor ddi-ddim yr olwg ag y buodd hi ers imi ei hachub. Walle nad oedd hi am gael ei hachub? Ife 'na pam mae hi mor swrth? A 'co fi'n neud ymdrech arall i gyfathrebu, ond hyd yn oed wrth lefaru, rwy'n gwbod yn ddigon da na ddaw'r un sill o enau'r ast anniolchgar.

Yn sydyn, rwy'n dychmygu 'mod i'n gweld rhyw newid yn ei chroen – ei olwg os nad ei ansawdd. (Feiddia i ddim plygu i'w gyffwrdd drachefn.) Glynodd y tywod y bu'n rhowlio trwyddo ar ei chroen, fe ymddengys. Bellach, gloywa gyda gwawl oleuach, iachach yr olwg. Yn llyfn yr olwg. Nid yw'n llachar gan liw haul yn gwmws. Ond mae'n nes at fywyd nag y bu.

O'r herwydd, rwy'n ei gweld o'r newydd. Ond dod heb hebrwng unrhyw euogrwydd yn ei sgil wna'r datguddiad newydd 'ma. Dim ond twtsh o amheuaeth, walle. Dyna sy'n mynd trwy'n feddwl i. Rhyw sylweddoliad slei y gallai hon fod yn anabl mewn rhyw ffordd. Fe ddylwn deimlo'n dynerach tuag ati. Beth os yw hi'n fud a byddar? Neu'n diodde o ryw barlys? Er ei bod hi'n gorwedd mewn ystum sy'n golygu fod ei phengliniau wedi'u plygu, mae'r cyswllt cyfrin sy'n cadw'i choesau yn dynn wrth ei gilydd yn dal ar waith – fel 'sen nhw'n anhyblyg eu hanian os nad eu gwneuthuriad. Walle nad modur neu feic sy'n disgwyl amdani yn rhywle, ond cadair olwyn?

Ac yn sydyn, mae'n fy nharo fod y fraich dde yn rhydd o wasgfa'r neidr a welwn yno cynt. Er bod 'na rai marciau du i'w gweld o hyd, maen nhw nawr yn debycach i wythiennau – fel y rheini fydd weithie i'w gweld yn oramlwg o dan wyneb croen tenau rhywun claf neu oedrannus. Tebycach i fwydod na sarff.

'Jiw! Ma' rhyw ddirgelwch jogel yn perthyn i hon, on'd o's e?' Daw llais aelod benywaidd y cwpwl sy'n gorwedd gerllaw yn darllen bob i lyfr i dorri ar fy mhendroni. Mae'n disgwyl ateb, ond chaiff hi'r un. Gan droi clust fyddar, dychwelaf at fy mhatshyn fy hun.

Er mor rhyfedd yw'r olygfa, rwy'n dechrau sylweddoli taw dim ond dethol rai sydd hyd yn oed â'r gallu i'w gweld. 'Ni'n straffaglu ein ffordd lawr y tra'th unwaith 'to a digon prin yw'r rhai sydd hyd yn oed yn sylwi fod hon yn 'y mreichiau i, er ei bod hi'n edrych fel drychioleth.

Ei chario'n ôl i'w chynefin sydd orau, rwy wedi penderfynu. Achos wela i ddim dyfodol iddi yr ochr hon i'r lan. A nawr fod dŵr y môr wedi dechrau goglais 'y mhigyrnau a 'mod i'n mynd yn ddyfnach i mewn i'r llif gyda phob cam, rwy'n teimlo rhyddhad – fel 'se'r cyfrifoldeb hwn ar fin dod i ben, a finne'n gallu anadlu gwynt yr heli unwaith 'to, yn rhydd o 'meichiau.

Gyda 'mreichiau'n dechrau gwingo, rwy'n ysu am i'r foment ddod … a dyma hi wedi cyrraedd, synnwn i ddim. Rwy i mewn lan at 'y mrest. Fe ddylai'r dŵr fod yn ddigon dwfn i'w chynnal o hyn ymla'n. Af lawr o dan yr wyneb a phan godaf i'r golwg eto, dyna lle mae ddi yn arnofio'n dawel, yn gwmws fel roedd hi pan wnes i'i darganfod rhyw bedair awr yn ôl. Yr unig wahanieth nawr yw fod y llygaid led y pen ar agor. Maen nhw'n dal yn dywyll, ond sa i'n siŵr a ddylen i bellach eu galw nhw'n ddu. Wedi'r cwbl, mae sawl gradd i dywyllwch – a sa i am swnio'n gas.

Ac yna, daw griddfan ohoni. Sŵn tawel sy'n cyd-fynd â thonfedd y tonnau sy'n torri trosom yn gyson. Rhaid imi droi rownd i edrych arni, am 'mod i eisoes wedi dechrau cerdded 'nôl at y lan. Sa i moyn teimlo 'mod i wedi'i gadel hi'n amddifad – ond fe wn yn 'y nghalon mai morwyn rhywun arall yw hi mewn gwirionedd. Nid yma ymysg rhai fel fi mae'i lle hi.

Dyw hi ddim ar wastad ei chefen bellach chwaith. Mae'i hwyneb hi sha lawr, ond yn symud o ochr i ochr, nes gwneud imi dybio ei bod hi o leia'n anadlu. Rwy'n cymryd cysur mewn tybiaethau … heb wbod dim i sicrwydd. Mae'n ymbellhau ac yn dal ei thir yr un pryd, er nad yw'n edrych fel 'se hi'n nofio fel y cyfryw. Rhyfedd fel mae hon yn llwyddo i wrth-ddweud ei hunan yn barhaus, heb yngan gair o'i phen.

Rwy'n towlyd 'yn hunan i'r tonnau i gael un nofiad ola cyn troi sha thre, gan droi'n fwriadol i'r cyfeiriad arall, bant oddi wrthi. (Un o'r pethe a 'nenodd i gynta at y lle 'ma oedd y ffaith 'mod i wastad wedi joio nofio'n noeth.) Ond sa i'n mynd yn bell, a rhaid aros a throi rownd drachefn. Nawr, alla i ddim hyd yn oed ei gweld yn iawn. Ma' digon o nofwyr erill yn y dŵr a siawns nad yw hi eisoes wedi llithro i fod yn ddim byd ond un o'r llif.

Bore trannoeth. A 'co fi drachefn ar ben y twyn rown i'n gorwedd yn ei gysgod ddoe. Rwy'n sefyll gyda 'nghoese a 'mreichie ar led fel 'sen i'n *X rated*. Neu'n esgus taw Madog ydw i, walle ... Hwnnw'n fachan 'dewr ei fron' yn ôl y sôn ... Neu beth am Columbus? Ai newydd lanio mewn Byd Newydd ydw i? Pwy a ŵyr?

Un peth na fydda i byth yw Llychlynwr rhemp a'i fryd ar reibio'r wlad a threisio pawb ddaw e ar eu traws yn ddiwahân. Amser hyn o'r dydd, mae'n amlwg nad oes 'na fawr neb yma y gallwn i godi ofan arnyn nhw hyd yn oed 'sen i moyn gwneud 'ny. Wrth gerdded o'r car, fe basiais ambell un oedd wedi codi'n gynnar i fynd â'i gi am dro. (Tecstiliaid o'n nhw bob won jac – yn dod 'ma yn y bore bach, cyn i ni noethlymunwyr gyrraedd i drefedigaethu'r lle.) A draw, ymhell, bell i ffwrdd, fe alla i weld cwpwl ifanc gyda'u plant. Boregodwyr o noethlymunwyr, mae'n rhaid, achos maen nhw wedi cerdded yr holl ffordd at lan y dŵr. Ers imi adael yn gynnar neithiwr, cas hwnnw'i gario mas gryn bellter gan y teid. Ond fentra i swllt taw gwitho'i ffordd 'nôl yn nes at y twyni 'ma neith e, wrth i ddiwrnod newydd arall festyn yn 'i fla'n! Byddech chi'n meddwl 'se'r cefnforoedd wedi laru ar wneud yr un hen beth yn ddidor dros yr holl ganrifoedd, yn byddech chi? Ond na, mynnu dilyn yr un hen drefn ddiderfyn y ma'n nhw. 'Y llanw'n dod mewn a'r llanw'n mynd mas' fydd 'u diléit nhw'n dragwyddol, gwlei.

Peth anghyffredin iawn yw imi ddod draw i'r tra'th 'ma ddau ddiwrnod yn olynol. Unigryw, walle! Ro'dd ddo' yn bendant yn ddiwrnod unigryw yn 'yn hanes i, felly pam ddim heddi hefyd? Ac rown i am gyrradd mor gynnar ag y gallwn i er mwyn cael gweld ... Gweld a gawn i unrhyw gip arni hi drachefn. Nid fod 'ny'n debygol. Go brin y bydd neb o'dd yma ddo' yn ôl 'ma heddi.

Tynnwyd y gwynt o'r bêl binc a chas 'i phlygu a'i rhoi o'r neilltu mewn drâr, a bydd rhaid i'r groten fach fodloni ar fwrw'i hafiaith yn padlo mewn pwll plastig mas yn yr ardd y prynhawn 'ma ... neu ddilyn ei mam rownd y siope.

Dyn a ŵyr beth yw hanes y boi ddoth â'r gwynt 'nôl i fegin y fenyw. Pan chi'n noeth chi'n gydradd. Does dim byd i ddynodi cyfoeth na statws na chwaeth. Fe alla i ei weld e mewn siwt y tu ôl i ddesg, neu walle'i fod e'n dangos i bobl shwt i ddefnyddio offer codi pwysau mewn campfa. Neu, wrth gwrs, fe all fod ar wthnos o wyliau fel fi ac y do' i ar 'i draws e 'to toc, cyn bo'r dydd lot yn hŷn.

Ond sa i'n dishgwl 'i gweld hi, a gweud y gwir. Ma'n well 'da fi gredu iddi ddod o hyd i'w ffordd adre – yn ôl i lle mae'n perthyn. A gobitho gas hi groeso 'co, ddweda i. Ddelen i byth ar gyfyl y fan 'ma 'to 'sen i'n meddwl iddi ga'l ei herlid o'r union le a gysegrwyd ar ei chyfer, jest am nad o'dd hi cweit yn berffaith. Fe lyna i at y ddelwedd fuodd yn 'y mhen i drwy'r nos, a finne'n ei gweld hi'n ishte ar graig yn rhywle ... Un bys wedi'i godi, gan bwyntio draw fan hyn, sha'r tir mawr ... a hithau'n gwatwar ein mympwyon ni, feidrolion.

Sa i whant gweld rhagor arni a gweud y gwir. Sdim byd amdani nawr ond codi 'mag a sgrialu i lawr y twyn 'ma mor glou ag y galla i. Cyn dod o hyd i fan bach net i setlo, fi'n credu y crwydra i'r tra'th am sbel, i drial dychmygu tybed pwy neu beth ddaw i sbwylo'n sbri i heddi.

Y Guru

Heiddwen Tomos

Bronnau'n bownsio, bownsio, bownsio. Chwysu, plygu, ymestyn. Chwysu, plygu, ymestyn a chwythu, chwythu, chwythu. Mewn a mas, mewn a mas, cyn pwmpio, pwmpio coesau'n cicio. Carlamu. Calon fach yn raso a throi, troi, troi nes bod y chwys yn tasgu lawr fy nghefn. Rhythm. Cyrff yn cydsymud, cyd-fynd. Chwysu 'to, carlamu a chodi coes, codi coes a bowns i'r dde. Bowns i'r chwith. Llaw i'r droed, llaw i'r droed a thasgu lan. Lawr a lan a lawr a lan. Aros. Ar-os. Tynnu'r bola mewn a sythu'r cefn ac aros, ar-os ... ac AAAAros. Cawn eiliad i anadlu, llesmair anadlu a chlywed fy nghalon yn corco yn ei chornel. Bron â thagu eisiau torri syched. A 'mlaen â ni, un, dau, tri, 'mlaen, ac un, dau, tri, 'nôl, un, dau, tri, 'mlaen, ac un, dau, tri, 'nôl ... cadw fynd a chwysu. Chwantu am hoe, ond cadw fynd am ei fod ef yno'n annog.

Mewn canolfan hamdden nid nepell o'r fan hon, daw'r dyn ei hun i'n gweld. Y Guru. Nid dyn cyffredin mo hwn ond dyn â'r gallu i'ch gwneud chi'n fenyw newydd! Yn fenyw fain! Yn fenyw fyw! Yn fenyw! Gwelwn ef yn cyrraedd ei gyrchfan mewn fan wen a phinc a llun ohono ar ei hochr. Llun lle mae yntau yn ifancach a phob rhych o'i eiddo wedi ei smwddio. Mae ei wallt yn un crafad taclus a'r wên gynnes yn 'welwch chi fi'.

Mae'n tynnu am 6.30 y.h. ac mae'r sioe ar ddechrau. Mae e'n chwarae ar ei ffôn yn disgwyl i'r amser dynnu'n dynnach. Tynna *selfie* bach clou wedyn i atgoffa pawb i ddod heno am sesiwn o 'amazing' ac 'awesome', 'guys'. (Er nad oes yr un 'guy' yn dod yn agos. Dim ond llond neuadd o famau a gwragedd a phlant ac ambell un sy'n dod er bod dim angen iddynt.)

Mae'n codi o'r car ac yn agor y drws ar yr ochr er mwyn cael gafael yn ei got. Mae'n cydio ynddi ac yn ei gosod am gyfnod ar y bonet tra'i fod yn chwistrellu bach o Lynx o dan ei gesail. Mae'n ailsymud Jon Tomos i'w wely newydd a cherdded fel march bach y plwy am ddrws y ganolfan.

Rwyf finnau fan hyn yn difaru dod. Rwyf ddau bownd yn drymach nag oeddwn i'r wythnos diwethaf. Dof i ddiwedd y cwdyn *ready salted* mawr a diawlio wrth dynnu fy mys rownd corneli'r bag. Llyfaf fy mys yn slafaidd. Yfaf Ddeiet Coke. Deiet, wrth gwrs, am fy mod eto ar ddeiet. Rwy'n cyrraedd yn gynnar er mwyn gwneud yn siŵr y caf weld mwy na'm siâr o'r dyn ei hun yn ei drowser tyn a'i fest fach fain, sydd â rhyw eiriau fel 'Energy!', 'Pump it', neu 'Shut up and squat' arni fel arfer. Does 'na'r un awydd arna i wneud yr un a dyna pam rwyf wrthi (wrth i ni siarad) yn rhwygo croen plastig y baryn siocled hwn. Drifter. A, wir ichi, mae'n drifftio'n ddigon hawdd i mewn i'm ceg. Bochiaf. Sychaf fy swch a 'styried. Os nad af i mewn cyn hir, af i ddim i mewn o gwbwl.

Rwy'n codi o'r car. Car bach a finnau'n fawr ac ar ôl tri, Tri, *TRI* ... Hyp ... Hyp ... Tri. Rwyf bron angori fy hun wrth y drws ac yn haliwns i gyd, gallaf dynnu am lan a mas i'r oerfel. Rwy'n tynnu fy mola ar fy ôl. Fe ddaeth yn y diwedd! Coc y gath! O gornel fy llygad pwy welaf yn dod am 'nôl ond y dyn ei hun. Mr Guru. Wedi gorfod dod 'nôl i'w fan i chwilio am rywbeth mae e, siŵr o fod.

'Hi Stacey, you alright?' mynte fe. Yn ei acen bachan mowr. Finne'n synnu ei fod wedi llwyddo i weld unrhyw beth ond fe ei hun. Mae'n piffian cyn adio'n goc i gyd, 'Up for it, I see!'

Do'n i ddim wedi dweud yr un gair, dim ond edrych arno'n dwp. Synnais wrth feddwl ei fod yn gallu darllen fy meddwl. Ei lygaid lliw Mars Bar yn crechwenu'n slei. Cofiais wedyn am fy fest newydd sbon, sy'n cyhoeddi mewn ffont fras ddu fy mod 'Up for it!' (Damo daps Mam-gu. Beth ddiawl ges i i brynu'r fath rwtsh? Bargen ar Swap Shop oedd hi a nawr rwy'n gwybod pam roedd hi'n gymaint o fargen.)

'It's Siriol,' medde fi wedyn yn goch fel balŵn. Ond edrych ar ei lun ei hun oedd e erbyn hyn.

Mae e'n cnoi ar y gwm yn ei geg, ac yn hanner chwerthin a phitïo'r un pryd. Rwyf finnau'n tynnu sip fy nhop dros y fest a rhoi plwc disymwyth i'r legings hyn sydd yn tynnu am lan a mewn yr un pryd. Mae e'n rhedeg am ei fan a rhoi sychad fach i gefn ei wddf. Does dim byd yn waeth na dyn gweddol sy'n meddwl ei fod yn well nag yw e.

'See you in there,' medde fe wedyn â rhyw gamau ceiliog ar ben domen wrth fynd drwy'r drws mas a mewn, a llond dwrn o gwennod bach ifanc, main yn gwmni iddo.

Fues i bron â mynd am adre, alla i weud wrthoch chi. Chwerthin ar fy fest fach i, wir! A feddylies i wedyn, beth am dynnu rhyw siâp anaeddfed ar ei lun ar ochr y fan. Yn wers am fod mor fras. Pen pric neu ddwy garreg a blew gwsberis. Ond roedd gormod o growd i fentro, felly mewn â fi.

Mae'n rhaid i fi golli bach o bwyse. Fu ffroc morwyn briodas fy chwaer erioed mor dynn am ddyn. Mae ei ffrindiau, wrth gwrs, yn fain ac yn fusgrell fel rhyw bethe bytu starfo a finne yn eu canol yn hen 'slaben fowr ddi-siâp'. Fy chwaer, wrth gwrs, yn gywilydd i gyd ac wedi awgrymu'n ddigon dan din mai am fy mod yn perthyn yn unig yr oeddwn i'n cael yr anrhydedd o gael bod yn eu plith nhw. Roedd hi wedi meddwi pan ddywedodd hi hynny ac fe ddes inne bant â'r esgus hwnnw hefyd pan ddigwyddodd gwympo'n lletchwith ar y ffordd mas o'r toilet a chleisio ei braich frwynog. Tr'eni, yndyfe! Aeth draw i dŷ Mam y diwrnod wedyn i arllwys ei chwd a chwyno'n blentynnaidd y byddwn i'n siŵr o sarnu'r ffotos! Felly, dyma'r rheswm pam fy mod wedi gorfod gwneud ymdrech i waredu'r bola 'ma! Mam yn dweud mewn llais neis-neis y byddai'n dr'eni bod *un* yn gorfod gwisgo'n wahanol i'r gweddill! Byddai'n drueni bod *un* yn gorfod cael rhyw ffroc dros y pengliniau (i gwato'r *varicose veins*) tra bod pawb arall yn moyn rhyw bethe lan at eu tinau! Un! Ie, dim ond o achos UN! Fe rowliais fy llygaid a dweud nad o'n i'n moyn bod yno'n y lle cyntaf. Hithau'r Chwaer yn weps i gyd yn dweud fy mod yn benderfynol o sarnu pethe iddi.

'Sarnu pethe? Sarnu pethe?' medde finne ar dop fy llais, a Mam yn y canol yn trial ein llusgo ni'n dwy ar wahân. Dweud wedyn fy mod i bob amser yn gwneud pethe i sbeitio fel fydden ni yn blant, fel y tro hwnnw pan es yn sic yn steddfod tra ei bod hi yn canu. Hynny yn fwriadol wrth gwrs! Yn mynnu tynnu'r sylw oddi arni! Hithau'n seren fach ar y llwyfan, yn sicr o ennill y wobr gyntaf a phawb arall yn edrych ar y bwmpen yng nghefn y neuadd yn sâl dros ei ffroc steddfod.

'Ro'n i'n chwech oed! Chwech oed!' medde fi, gan rythu arni fel rhywbeth dwl a Mam yn ceisio peidio â chwerthin wrth gofio.

Mae chwe mis gyda fi i wneud! Mi ddangosa i iddyn nhw! O, gwnaf! Fe geith hi ei synnu, alla i weud wrthoch chi nawr! Bydd *un* wedi chwysu nes fy mod yn ddim byd ond asgwrn! Mae'r treiners hyn yn newydd. Fel 'na welwch chi wastad. Menywod yn hala ffortiwn ar ddillad chwaraeon fel rheswm bod rhaid cadw fynd am wythnos arall. Yn y bac fydda i fel arfer, yn chwythu a thuchan fel hen fuwch yn dod â llo. Mas y bac. Mas o'r ffordd. Mae'r trowser hwn, sy'n rhy dynn i fod yn gyfforddus, yn ddu, gan fod du yn ôl ymchwil yn 'slimming'. A'r top, fel y dywedais i'n gynharach, yn fargen ar Swap Shop. Byddai colli bach, rhyw ddau bownd yr wythnos, yn ddigon, dwi'n meddwl. Gan bwyll, yndyfe? Fel fy mod yn gallu troi lan i'r *fitting* a mynnu ffrog maint llai! A hithau, Chwaer, yn cael y pleser o dalu!

Mae'r fenyw sy'n casglu'r arian wrth y drws wedi tyfu gwallt hir dros nos. Estyniadau melyn Marilyn Monroe a cholur-cwato-pechodau sydd wedi sychu ar goler gwyn ei thop-dangos-y-cwbwl. Mae'n gyfeillgar, chwarae teg iddi, ac yn fy nghroesawu i mewn i olau llachar y ganolfan hamdden hanner gwag.

Ry'n ni ar ddechrau, ac ar ôl talu a thrwcio fy nhreiners newydd am bâr o sgidiau bownsio, rwy'n gwlychu pig yn glou wrth yfed tracht o'r botel. Dim ond dŵr yn anffodus! Ma' fe, Guru, wrthi'n dangos i'r merched newydd ei gasgliad o 'beats'. Rhai clou, rhai clouach fyth, a rhai ffacin ffast.

Mae Marilyn â'i llygaid llo yn llamu'n gryf ar ei hesgidiau nes bod ei choesau'n gyhyrau. Dechrau twymo, er bod pawb arall yn brawlan ac yn pwyso, a fe, Guru, yn rhyw dynnu lluniau gyda'r criw newydd. (Ti naws gwell, Marilyn fach, 'sdim interest 'dag e heno, t'yl!)

Pwy ddiawl greodd *sports bra*, gwedwch? Rwy'n ei dynnu'n dawel bach er mwyn cael lle i anadlu a phwy ddaliodd fi wrthi ond fe, Guru, neb llai, sydd ar ddechrau ar ei sesiwn â'r *tunes* newydd sbon yn shiglo'u tine rownd y neuadd fowr.

'Right then, guys!' mynte fe, a finne'n gweld dim ond menywod o hyd. Mae e'n dechrau ar ei gyflwyniad. Rhywbeth am faint o galorïe fyddwch chi'n eu colli, shwt fydd awr o fownsio yn siŵr o waredu pob teier a rhyw ansoddeiriau Americanaidd blastig am wneud *exercise* yn 'fun'! (Mae'n wir, er, mae'n anodd credu – rwy'n chwythu wrth gerdded mewn o'r car.)

Mae'r merched main yn mynd i'r ffrynt. Mae'r

merched mwy yn mynd i'r bac, ac ma' fe, Mwrc, y Guru ffug-frown, yn sefyll fel Moses o flaen y tonnau.

'Bounce fit for life, guys!'

Bronnau'n bownsio, bownsio, bownsio. Chwysu, plygu, ymestyn. Chwysu, plygu, ymestyn a chwythu, chwythu, chwythu. Mewn a mas, mewn a mas, cyn pwmpio, pwmpio. Calon fach yn raso a throi, troi, troi nes bod y chwys yn tasgu lawr fy nghefn. Rhythm. Cyrff yn cydsymud, cyd-fynd. Chwysu 'to, carlamu a chodi coes, codi coes a bowns i'r dde. Bowns i'r chwith. Llaw i'r droed, llaw i'r droed a thasgu lan. Lawr a lan a lawr a lan. Aros. Ar-os. AAAROS! Tynnu'r bola mewn a sythu'r cefn ac aros, ar-os. Cawn eiliad i anadlu, llesmair anadlu a chlywed fy nghalon yn corco yn ei chornel. Bron â thagu eisiau torri syched. A 'mlaen â ni, un, dau, tri, 'mlaen, ac un, dau, tri, 'nôl, cadw fynd a chwysu. Chwantu am hoe, ond cadw fynd am ei fod ef yno'n annog. Bronnau'n bownsio, bownsio, bownsio. Chwysu, plygu, ymestyn. Chwysu, plygu, ymestyn a chwythu, chwythu, chwythu.

Rwyf nôl yn y bac yn ddigon pell 'wrth bawb. Mae yntau a'i wên ffug-felys yn dysgu'r disgyblion gorau i dwyrco. Rhaid plygu lawr a phwyso 'mlaen a mynd fel cwningen. Alla i ddim â'i wneud, ac rwy'n pwyso'n chwys stecs wrth y wal ddringo. Crafangu am eiliad i gael fy anadl yn ôl. Tuchan, chwys yn tasgu, bochau'n brathu a bowns esgidiau yn gytgan o gwyno. Mae Marilyn yn gwenu i brofi ei bod hithau'n gallu. Rwyf finnau fan hyn yn tynnu anadl drwy bob pen ac yn syllu eto ar y cloc. Mae'n siŵr ei fod wedi stopio. Saib.

Rwy'n diawlo fy chwaer. Hi a'i phriodas! Ei chanopeis, ei choctels, ei phrynhawniau yn pincio ger rhyw bwll. Lluniau hanner porcyn ohoni ar ryw draeth gwell na Cei, yn torheulo fel rhywbeth mas o gylchgrawn. Cyrraedd seis 10 a chwyno ei bod yn obîs! Y dorth. Steven wedyn, y darpar ŵr yn ei siwt a'i dei a'i ddwylo menyw! Yn towlu dyn bob penwythnos yn gwylio ceffylau'n rasio gan brynu rhyw fodrwye'n ddi-ben-draw iddi hi, Chwaer, am ei bod yn sbesial wrth gwrs! Llun ar Facebook, Twitter ac Instagram. Rhag ofn eich bod heb sylwi pa mor fendigedig yw ei bywyd.

Mae'r saib drosodd a dof yn ôl i'm lle rhwng dwy denau, ddeinamig, a dwy drymach. Rhaid codi'n coesau nawr fel ceffyl show a throi i'r pedwar gwynt. Ar ôl cyrraedd 'nôl i'r tu blaen, mae Guru yn awgrymu y byddai gwneud yr un peth eto, ond i'r cyfeiriad arall, yn llesol! Mae'n anodd gen i gredu. Felly, rownd â ni tan iddo dorri i ryw symudiadau 90aidd. Rhyw seiens gyda'i ysgwyddau sydd ganddo nawr cyn towlu sawdl i'w din. Cawn ein hatgoffa eto ei fod yn 'amazing' ac yn 'awesome' a'n bod ni, 'everyone', wedi 'smashed it!' – sy'n gysur mawr i ni i gyd.

'Why be moody when you can shake your booty!' medde fe wedyn, tra fy mod yn siŵr bod asthma arna i. (Am ddefnydd anffodus o odl.) Rwyf fi fan hyn yn cael gwaith anadlu. Dde. Chwith. Dde a chwith. Rhaid codi'r coesau'n uwch, wrth gwrs, a sgwatio'n is. Mae rhai yn cael eu canmol ganddo. Rhai sy'n gallu gwneud yn rhwydd. Rhai sy'n gwisgo rhyw grysau Bootcamp neu ddillad Nike! Dillad Tescos sydd gen i.

Yn ystod amser hoe, rwy'n yfed eto. Mae e, erbyn hyn, yn seboni'r *newbies* ac yn tynnu sylw at ei gasgliad di-ben-draw o gerddoriaeth, ac yn dweud bod croeso i ambell un aros ar ôl i gael gweld y cwbwl. (O'i gasgliad, hynny yw.) Ches i ddim cynnig.

Rwy'n tynnu'n llaw drwy'r chwys ar waelod fy ngwar ac yn meddwl yn siŵr fy mod wedi llosgi'r Drifter hwnnw erbyn hyn. O gornel fy llygad pwy welaf yn dod ond fe, Mwrc, y Guru. Mae'n dod tuag ata i a'i gamau'n gyfforddus. Swagro allech chi weud, fel rhyw deigr mewn sw. Mae'n gwenu. Ei ddannedd yn wyn fel un sydd heb yfed dim ond dŵr.

'Plenty More Fish!' medde fe, a finne'n barod i'w ateb rhwng llyncu poer a dala 'mola mewn. 'That's where I've seen your face before. I knew I'd seen you somewhere,' medde fe wedyn, yn rhyfeddu ar glyfrwch ei gof ei hun. Ac wrth i fi agor fy ngheg i ofyn beth ddiawl oedd Plenty More Fish, fe wela i mai'r flonden seis 8 sy'n cael ei sylw. Fe lyncaf ac esgus twrio yn fy mhoced am Polo Mint – er does yr un i'w gael yno, dim ond cwdyn Maltesers gwag – a charthu fy ngwddf yn lletchwith.

'You look ... different from your profile pic, don't you?' medde fe wedyn fel cusan a'i lygaid Mars Bar yn gwenu'n serchog ar ei haeliau malwod. Roeddwn i bron â damsgen ar ei droed a dala un yn bac ei ben cyn iddo fe droi am 'nôl. Hithau, Seis 8, yn gyffro i gyd. Fe fentrais symud draw ymhellach oddi wrthynt, a theimlo'n drwm ac yn dew i gyd. Sôn am ei hoffter o'i *athletic physique* hi oedd e a thrafod rhyw hanner marathon hir a diflas a diddiwedd. Mae Marilyn yn rhythu ac yntau'n gweld dim byd ond dwy dit a dannedd.

Mae'r awr drosodd a chaf fynd am adre. Fues i erioed cyn falched o gael gadael. Pilates! Efallai wna i roi cynnig ar hwnnw'r wythnos nesaf.

Am fy mod wedi blino ac am fy mod wedi llosgi cannoedd o galorïe, fe es am tsipsen fach slei cyn mynd am adre. Fe yrrais y car (pwy iws colli mwy o galorïe mewn un noson?) ac am nad o'n i am losgi fy nghôl wrth fwyta'r cyrri sos, fe ddes am 'nôl i'r ganolfan gan fod golau lamp a llonydd i'w gael yno.

Yno wyf fi nawr, yn arllwys y cyrri dros y *sausage in batter* ac wrth fy mod yn barod i'w llowcio, fe welais. Gweld am fod gen i lygaid wnes i. Dim am fy mod yn busnesa. Roedd fan y Guru yn symud. Mae hynny'n wir, ond wnes i ddim meddwl llawer am fy mod, fel y dywedais, yn ceisio osgoi cael cyrri dros fy fest fach, fain. Symud fel cwch bach ar y môr oedd hi. 'Nôl a 'mla'n i'r dde a'r chwith (am o leia bum munud). Storom fach sydyn wedyn a'r cwbwl lot yn corco fel petai ar donnau mwy. Tonnau mwy. Mwy o donnau mwy a thonnau bach eto. Bu bron imi bwldagu ar damaid o daten werdd pan ddaeth corwynt (dwi ddim yn fenyw tywydd nac yn ferch i bysgotwr, ond roedd y symudiad yn debycach i gorwynt na dim byd arall). Roedd gormod o halen ar y tsips a dim sôn am finagr yn unman, er i fi ddweud deirgwaith wrth y groten wrth y cownter. Rhyw feddwl am fanylion bach, dibwys fel hynny o'n i ar y pryd heb feddwl ddwywaith am donnau na storm na halen y môr. Ond y funud nesaf, fe agorwyd drysau cefn y fan fach wen a phinc, a'r tonnau nwydus yn tasgu i bob man. Wrth ei gwallt, yng nghanol y corwynt, pwy ddaeth i'r golwg ond Seis 8! Ei gwallt fel doli glwt, ei phen-ôl yn wyn fel lleuad lawn a'r storm wedi rhwygo'i thop hi hyd

yn oed! Dwi ddim yn meddwl mai mynd i newid ei
throwser oedd hi.

Mae Marilyn Monroe fel taran a mellt yn rhegi
pethe cas wrth ysgwyd Seis 8 fel cyw yng ngheg ci! Mae
fe, Guru, yn sefyll yno'n dangos ei dan a finne'n
rhyfeddu bod ei *sausage in batter* e'n dipyn llai na'r
disgwyl. Doedd hi, Marilyn, heb orffen eto, ac fe drodd
fel matsien a bwrw gwên ben i waered ar wyneb y Guru.
Fe soniodd rywbeth am 'No more'. A'i fod e'n hen
'cheating bastard!' (wel, af fi ddim i ddadlau).

Aeth ymlaen i sôn wedyn am gael llond bola o'i
nonsens e ac ar ôl y tro diwethaf gyda rhyw ffrwlen salw
o'r enw Kylie, ddyle fe fod yn gwybod gwell na chael ei
ddala â'i bans lawr 'to ... Af fi ddim i fanylu rhagor, dim
ond deall bod ei ddillad a'i holl eiddo i'w casglu cyn
gynted â phosib o'r bin sydd ger y fflat a arferai fod yn
gartref iddyn nhw. Dim ond agor y ffenest yn slei bach
a thynnu fy ffôn o waelod y bag wnes i wedyn. Samsung
Galaxy Note fach yw hi. Dim byd sbesial, wy'n gwbod.
Un â digonedd o gof. Fe gollais y rhan gyntaf o'r sioe,
ond mae'r darnau gorau i gyd gyda fi, ar gof a chadw,
yndyfe? (Darnau cofiadwy iawn os ga i weud!)

Mae e, Guru, yn ceisio rhedeg am ei bants erbyn hyn,
ac mae'n fy synnu weithiau bod menyw grac yn gallu
cyrraedd stapal gên mor sydyn. Mae e'n cwympo fel
sach dato a dal cornel ei lygad ar y drws. Llygaid Mars
Bar, os gofiwch chi, gyda'r amrannau wedi troi am lan.
Mae Seis 8, wrth lwc a bendith iddi, wedi cael gafael
mewn fest 'Shut up and Squat!' ac er tegwch iddi, mae'n
gwneud fel mae'n ddweud. Mae'n cribo ei gwallt sydd
ar frych i gyd. Ceisio ei ddofi'n dawel bach yn ôl i'w
fandyn tenau.

'I was just changing-got-a-bit-sweaty in there … I'm sorry. I'M SORRY. I'm sorry … I thought you had gone home! … No, I didn't say that … Look, I can explain, IT'S NOT WHAT IT LOOKS LIKE! Come on, woman, come on, luv! It's you I want … I swear, she was just changing!' Fe newidiodd lliw Marilyn ar yr eiliad honno. Ac fe gafodd funud i esbonio. Un funud fach cyn elo'r haul o'r wybren … un funud fwyn cyn … Aaaa! Waldo druan; a do, mi gafodd ei waldo.

Mae'n braf cael bod yn gynnar weithiau er mwyn medru ei weld yn neidio o'r fan a thynnu ei fysedd dyn byr drwy ei wallt. Mae hwnnw'n frown naturiol. Y Guru. Nid dyn cyffredin mo hwn ond dyn â'r gallu i'ch gwneud chi'n fenyw newydd! Yn fenyw fain! Yn fenyw fyw! Yn fenyw! Gwelaf ef yn cyrraedd ei gyrchfan mewn fan wen a phinc a llun ohono ar ei hochr. Llun lle mae yntau yn ifancach a phob rhych o'i eiddo wedi ei smwddio. Mae ei wallt yn un crafad taclus a'r wên gynnes yn 'welwch chi fi'.

Mae'r gwersi bowns wedi gwella'n arw. Rwyf wedi colli tair stôn hyd yn hyn yn barod ar gyfer priodas y Chwaer. Gwersi preifet fuodd fwyaf defnyddiol, weden i. Ond mae cael dod i gymysgu gyda'r gweddill yn fanteisiol hefyd. Gallaf godi fy nghoes a bownsio cystal â'r un ohonyn nhw. Bronnau'n bownsio, bownsio, bownsio. Chwysu, plygu, ymestyn. Chwysu, plygu, ymestyn a chwythu, chwythu, chwythu. Mewn a mas, mewn a mas, cyn pwmpio, pwmpio, coesau'n cicio. Carlamu. Calon fach yn raso a throi, troi, troi nes bod y chwys yn tasgu lawr fy nghefn. Rhythm. Cyrff yn cydsymud, cyd-fynd.

Rwyf yn casglu'r arian wrth y cownter am fod Marilyn wedi gweld y golau ac mae'r Guru bach wedi dysgu siarad â'r menywod mawr i gyd. Mae'r car sydd gen i nawr yn gyflym. Ry'ch chi'n iawn. Audi TT. Ody, chi'n hollol iawn. Ma' fe *yn* gar trud! A phan fydd 'rhywun' yn dechrau piffian neu glapo'i lygaid Mars Bar ar ryw slashen styllennaidd, does dim amdani ond chwarae'n ddisymwyth ar fy ffôn. Sgrolio lawr a lawr a lawr … a bygwth, yndyfe? Dim ond bygwth – tsipsen a phot o gyrri sos. Finagr a halen y môr … a'r tamaid lleia welodd dyn erioed o *sausage*, a honno mewn *batter*, wrth gwrs!

Allan i'r glaw

Izzy Rabey

Camodd allan drwy'r drws i mewn i'r glaw didostur. Wrth iddi ei gau, disgynnodd briwsion hen baent i lawr ei chefn. Edrychodd allan dros yr iard. Nawr, roedd y clogyn melfed a ffeindiodd hithau ac Agnes yn y cae ddydd Sul yn dechrau mynd i edrych fel ffwr hen gath yn y glaw diddiwedd.

'Frieda, ble yffach ti'n meddwl ti'n …?' ond cyn i'r frawddeg orffen y tu arall i'r drws, rhedodd Frieda ar draws yr iard, gan afael yn y sach a wnaeth hi o hen lenni ei hystafell. Roedd ei harogl llaith yn taro'i thrwyn, ond wrth iddi redeg tuag at oleuni'r ddinas yn y pellter, roedd hi'n sicr taw dyma oedd dechrau'r newid. Dim un sach arall i'w llusgo, dim un diwrnod arall o lwch yn ei dallu a llenwi ei hysgyfaint. Berlin amdani. Berlin, Berlin, Berlin. Doedd hi ddim am gael ei phasio o gwmpas y ffermydd lleol rhagor oherwydd ei bod yn blentyn tlawd heb rieni nac addysg.

Roedd Frieda Raske yn un ar bymtheg oed yng nghyfnod Weimar yr Almaen. Roedd Agnes wedi treulio penwythnos ym Merlin gyda'i chariad tua deufis yn ôl, ac roedd Frieda wedi clywed yr holl hanesion am y dawnswyr hanner noeth a'r dynion pert yn cusanu ei gilydd, a'r menywod ifanc mewn siwtiau dynion busnes. Doedd Frieda ddim am aros rhagor. Roedd hi am fynd i Ferlin i o leia ddarganfod gwaith mwy diddorol ymysg pobl wahanol, y math o bobl na fyddent fyth yn dod i'r fferm.

Rhedodd ar hyd yr heol garegog. Roedd y cerrig fel migyrnau yn dyrnu gwadnau ei thraed. Edrychodd 'nôl tua'r fferm a gwelodd fod y dynion allan ar yr iard erbyn hyn, ac yn ceisio cychwyn y car er mwyn dod ar ei hôl. Rhedodd yn gynt gan beswch allan y llwch a'i boeri i'r pyllau yn yr heol.

Wrth iddi gyrraedd y groesffordd, gwelodd gar arall yn dod tuag ati. Stopiodd y car yn syth wrth i'r gyrrwr weld y ferch ifanc, wleb, a'i gwallt du oedd wedi ei gyrlio gan y glaw, a'i llygaid gwyrdd llachar yn fflachio.

'I ble ti'n mynd, Miss?' gofynnodd llais dwfn o'r car.

'Berlin! Rwy'n mynd i aros gyda theulu ym Merlin!' gwaeddodd Frieda yn ôl drwy'r glaw.

'Well i ti ddod gyda ni, 'te,' atebodd y llais. Clywodd Frieda fwy o leisiau yn y car ac yna, agorwyd y drws. Roedd yno ddwy fenyw yn eu hugeiniau yn gwisgo siwtiau brethyn caerog drud, un ohonynt gyda sgarff borffor o gwmpas ei gwddf. Roedd merch arall tua'r un oedran â Frieda yn eistedd yn y car hefyd gyda gormod o emwaith o amgylch ei gwddf i edrych yn soffistigedig. Roedd gyda hi lygaid enfawr, glas, a gwallt lliw gwellt. Roedd ei minlliw pinc tywyll wedi smwtsio dros ei cheg.

Perchennog y llais oedd menyw na allai Frieda ond ei disgrifio fel rhywun 'golygus'. Fel dyn! Heblaw am y cylffiau bach tu fewn i'r siaced frethyn caerog, roedd popeth am berchennog y llais, o'r ên siarp i'r gwefusau main, fel dyn ifanc.

'Beth yw dy enw di, Miss?' gofynnodd y fenyw hon.

'Frieda ... A tithe?'

'Fe alli di 'ngalw i'n Jak.'

'Jak sy'n fyr am Jakoba?' atebodd Frieda. Roedd merch o'r enw Jakoba wedi ei geni ar y fferm rai blynyddoedd yn ôl. Clywodd weiddi dynion y fferm yn nesáu, a theimlodd y glaw oer yn rhedeg i lawr ei gwddf.

'Jak yw'r enw, Frieda.' A chyda winc, estynnodd law at Frieda a'i thynnu i mewn i'r car ac allan o'r glaw.

Eisteddodd Frieda gyferbyn â'r ferch a oedd yn boddi mewn gemwaith. Estynnodd ei llaw at Frieda.

'Ana ydw i. Dyma Leisl ac Elsha.'

Edrychodd Frieda draw at y ddwy fenyw arall yn y siwtiau a gwenodd yn swil. Roedd hi'n ymwybodol iawn o ba mor wlyb yr oedd hi, a pha mor hen a gwlyb oedd ei dillad hi o'u cymharu â dillad pawb arall oedd yn y car.

'Ti isio fy nghot?' gofynnodd Jak i Frieda. Chwardd-odd Leisl drwy ei thrwyn.

'Os wyt ti'n siŵr,' atebodd Frieda. Fe fyddai'n braf teimlo'n rhywbeth arall heblaw am wlyb.

'Beth wedith Adelita?' holodd Leisl gan laswenu ac edrych ar Ana yn rhoi powdwr ar ei thrwyn.

'Mi fydd hi wedi ei swyno gyda pha mor garedig dwi wedi bod heno,' sicrhaodd Jak hi, wrth helpu Frieda i wisgo ei chot. Penderfynodd Frieda beidio â gofyn pwy oedd Adelita.

Aeth yr amser yn eitha cyflym wrth i Frieda wrando ar sgyrsiau ofnadwy o ddiddorol rhwng Leisl a Jak. Fel roedd hi'n deall pethau, roedden nhw i gyd yn byw ac yn gweithio mewn lle o'r enw Viola. Daeth Frieda i'r penderfyniad mai busnes Jak a Leisl oedd hwn.

'Felly, ble oeddet ti am i ni dy adael di?' gofynnodd Jak i Frieda wrth iddynt gyrraedd goleuni Berlin. Llyncodd Frieda ei phoer. Roedd hi'n methu cofio unrhyw enw stryd ym Merlin. Doedd hi erioed wedi bod yn y ddinas o'r blaen.

'Sa i'n meindio, Jak. Rwy'n hapus i gael fy ngadael ble bynnag y'ch chi'n mynd. Sa i ise creu unrhyw anhawster,' atebodd Frieda, gan geisio swnio mor hamddenol â phosibl.

'Does gen ti ddim cyfeiriad ar gyfer dy deulu?' gofynnodd Ana.

Esboniodd Frieda ei bod wedi colli'r cyfeiriad yn y baw wrth iddi gerdded o'r fferm. Fe wnaeth Leisl, Elsha a Jak edrych ar ei gilydd.

'Wyt ti eisiau aros y noson yn y Viola?' gofynnodd Elsha cyn dweud yn dawel wrth Jak, 'Ni angen rhywun arall wrth y drws. Dydi Hedda bron byth yn cael unrhyw amser i ffwrdd.'

Edrychodd Frieda ar Jak. Roedd y ffordd roedd llygaid gwydraidd Jak yn edrych arni yn achosi iddi anadlu'n ddwfn a theimlo fel petai ei hasennau'n llawn sierbert.

'Wyt ti'n edrych am waith?'

'Y-ydw, i-i fod yn onest.'

'Wel, dere heno a gweld be ti'n feddwl.'

Anadlodd Frieda'n ddwfn. Gwaith! Gwaith yn barod? Amhosibl a hollol anhygoel.

Camodd y grŵp allan o'r car a cherdded tuag at ddrws y Viola. Roedd cerddoriaeth uchel yn arllwys allan i'r stryd gyda'r golau; mwg a chwerthin benywaidd yn treiddio allan o'r ffenestri. Cydiodd Jak ym mraich Frieda a chamodd y ddwy i mewn drwy'r drws.

Roedd y lle yn llawn o ferched yn yfed a sgrechian chwerthin wrth hel clecs. Yn canu ar y llwyfan roedd merch a wisgai ffrog wyrdd tywyll. Dyma un o'r merched prydferthaf a welodd Frieda erioed. Wrth y piano, roedd menyw arall. Roedd hon yn gron ac yn gwisgo siwt fel un Jak. Roedd y gantores tua ugain oed, a chanddi lais hudolus a gwallt coch hir.

'Pwy 'di honna?' holodd Frieda.

'Adelita Aust yw hi,' esboniodd Jak gan droi yn ôl at Leisl. 'O leia mae'n gwisgo'r perlau wnes i roi iddi ddydd Sadwrn. O'r diwedd!'

A! Felly hon oedd Adelita, meddyliodd Frieda. Pam fod Jak wedi prynu perlau iddi? Ar gyfer ei phen-blwydd, efallai? Edrychodd Frieda o'i hamgylch. Methai weld yr un dyn. Doedd hi erioed wedi gweld cymaint o ferched a menywod dan yr un to.

'Dere,' meddai Jak, gan gydio yn ei braich a mynd â hi i fyny'r grisiau'r tu ôl i'r bar. Yna, aeth Jak â hi i lawr coridor. Sylwodd Frieda ar y papur wal blodeuog a oedd yn llawn swigod aer, ac ar y lampau olew a'r hen lyfrau wedi eu stacio'n uchel i edrych fel byrddau.

Aeth Jak a Frieda i mewn i ystafell gyda thri gwely ar y llawr a thwba metal ar bwys tân enfawr. Roedd merch yr un oedran â Frieda yn darllen ar un o'r gwlâu. Roedd ganddi wyneb plentyn ond llygaid hen.

'Hedda, dyma Frieda. Mae hi yma am noson i dy helpu wrth y drws ac ati. Felly, mae angen bàth arni a dillad. Os alli di ddechre ôl y dŵr, fe wna inne fynd â hi i gael dillad o stafell Adelita.'

Gwenodd Hedda'n anfodlon, ond heb ddweud gair, cododd o'r gwely a nôl bwced o gornel y stafell.

'Dere 'da fi.'

Camodd Frieda y tu ôl i Jak. Roedd y siwt yn ffitio ei chorff yn berffaith. Cerddai yn ddynol ond eto yn fenywaidd ac roedd yn anodd gan Frieda edrych i ffwrdd. Dilynodd Frieda Jak i mewn i ystafell Adelita. Roedd yna gymaint o flodau. Tisianodd Frieda. Sylwodd ar gwpwrdd dillad gyda thwll yn ei ochr a dillad yn arllwys allan ohono ar draws y llawr. Roedd y waliau'n binc a gemwaith yn hongian o hoelion yn y wal. Roedd yna gysur yn yr anhrefn.

'Rwy'n credu bydd rhain yn iawn.' Daliodd Jak flows i fyny yn erbyn ysgwyddau Frieda a mesur y llewys yn erbyn ei braich. Teimlodd Frieda ddau fys Jak yn ei haffl a chymerodd anadl ddofn. Edrychodd i lygaid Jak ac fe wnaeth Jak edrych yn ôl arni. Roedd eu hwynebau'n agos iawn.

'Be yn y byd?'

Edrychodd Frieda dros ysgwydd Jak. Roedd Adelita'n edrych arni'n ffyrnig. Yn ysblennydd, ond yn ffyrnig.

'A! Adelita. Dyma Frieda. Mae'n aros yma heno i weld a fydd hi o unrhyw help i Hedda. Fe ffeindion ni hi ar yr hewl,' ychwanegodd gyda chwerthiniad bach.

Pan ddwedodd Jak hyn, cafodd Frieda ei hatgoffa'n sydyn iawn o'i chefndir, a pha mor gyffredin oedd hi i'w chymharu â Jak ac Adelita, gyda'u dillad llawn manylion hardd a'u croen glân. Diffoddodd y teimlad ddaeth o fysedd Jak yn ei chyffwrdd, oedd funud yn ôl fel cannwyll.

'A ti'n ei gwisgo hi yn fy nillad i?'

"Mond yr hen rai, Lita. Paid â phoeni.' Camodd Jak tuag at Adelita a'i chusanu o dan ei chlust. Teimlodd Frieda ei gwaed yn saethu i'w bochau. Oedd Jak yn gariad i Adelita? Cariad fel roedd dynion a merched yn caru? Doedd hi ddim yn gwybod ble i edrych ond i lawr at y flows las golau a'r sgert werdd ym mreichiau Jak.

'Ymddiheuriadau, Fräulein Aust. Fe wna i adael eich ystafell nawr,' atebodd Frieda, gan edrych ar y llawr.

'Dere i 'ngweld i ar ôl i ti lanhau dy hun. Be wedest ti oedd yr enw?' holodd Adelita yn sur.

'Frieda Raske.' Dyma'r unig beth roedd Frieda wedi dysgu ei ysgrifennu. Roedd ei mam, Emilia Raske, wedi gwneud ei gorau glas i sicrhau y byddai Frieda yn cael mynd i'r ysgol yn lle gweithio gyda hi ar y ffermydd. Ond gan fod tad Frieda yn sipsi, ac Emilia yn fam yn ei harddegau heb ŵr, doedd yr ysgol ddim am adael iddi astudio gyda'r plant eraill. Enw'r teulu Raske gafodd Frieda, er eu bod wedi diarddel Emilia gan ei bod hi'n feichiog ac mai sipsi oedd y tad. Deirgwaith y gwnaeth Frieda gwrdd â'i thad, Yoska Wapper. Y tro diwethaf oedd yn angladd ei mam ym mis Ionawr. Erbyn hyn, roedd gan Yoska Wapper wraig a oedd yn sipsi hefyd a phump o blant. Doedd treulio amser gyda'i gariad o'i arddegau, a chanlyniad y cariad hwnnw, ddim yn ddewis rhagor. Ar ôl angladd ei mam, ni welodd Frieda ei thad byth eto. Hanesion ei chariad ifanc, cyffrous wedi eu sibrwd gan ei mam yng ngolau'r gannwyll oedd yn llosgi'n llachar yn nychymyg Frieda. Wrth iddi ymolchi o flaen y tân, meddyliodd Frieda am ba mor unig yr oedd hi ers marwolaeth ei mam a fu farw o niwmonia'r gaeaf diwethaf. Y lle hwn oedd yr unig le roedd hi'n gallu byw am nawr.

Ar ôl iddi ymolchi a gwisgo'r flows las golau, sgert wyrdd tywyll a chardigan lwyd, camodd Frieda i lawr y coridor i ystafell Adelita. Cnociodd ar y drws yn araf ac yn ysgafn.

'Dere mewn,' canodd llais Adelita o'r ystafell. Agorodd Frieda'r drws a chamodd i mewn i'r ystafell. 'A! Ti'n edrych gymaint yn well nawr, Frieda Raske. Dere i eistedd.'

Eisteddodd Frieda ar hen stôl a siglai yn ôl ac ymlaen gydag unrhyw symudiad bychan o'i rhan hi. Esboniodd Adelita, a oedd yn awr mewn ffrog hir lliw glas oeraidd, mai swydd newydd Frieda oedd gweithio i sicrhau bod yr ystafelloedd yn lân, a doedd dim un o'r cwsmeriaid i fod i aros am fwy na phump awr.

'Mae pobl yn aros yma?'

'Mae menywod yn aros yma ... gyda merched,' atebodd Adelita yn blwmp ac yn blaen. Teimlodd Frieda ei cheg yn agor mewn syndod tawel. Rholiodd Adelita ei llygaid. 'Wnaeth Jak ddim esbonio?'

'Ym ... na ... dim i ddweud y gwir ...' Edrychodd Frieda ar y llawr. Roedd hi'n siŵr y byddai hyn yn achosi iddi golli'r swydd. Pam na wnaeth hi ymateb yn fwy sicr? Meddyliodd am orfod treulio noson allan ar y palmant gwlyb.

Cymerodd Adelita anadl ddofn ac esbonio i Frieda mai clwb oedd y Viola, a'i bwrpas oedd cynnig diddanwch i fenywod oedd yn caru menywod eraill. A phwrpas yr ystafelloedd oedd i fenywod fwynhau cwmni ei gilydd heb unrhyw aflonyddwch ar y noson. Teimlodd Frieda ei llygaid yn agor yn fwy ac yn fwy eang wrth i Adelita esbonio. Doedd hi erioed wedi clywed am y fath beth o'r blaen! O ble daeth y syniad yma?

Ond o leia doedd dim dynion meddw gyda'u dwylo caled a'u hanadl sur fel yr oedd ar y ffestm. Ac o leia doedd hi ddim yn gorfod puteinio, fel llawer o ferched tlawd oedd yn dod i'r ddinas. Glanhau, siopa a choginio gyda Hedda, gyda thâl bychan er mwyn cael dillad newydd yn y dyfodol. Teimlai Frieda'n lwcus ac yn barod am ei swydd newydd.

Roedd Adelita yn dal i edrych arni gyda llygaid bwncath, ond gobeithiai Frieda y byddai hi'n meddalu cyn hir.

Fe ddaeth Frieda yn gyfarwydd â bywyd y Viola, y nosweithiau o eistedd yn amyneddgar ar bwys y drws gyda'r bocs gwyn, rhydlyd, llawn goriadau, tan roedd y bar mor llawn o fwg nes mai prin y medrai weld pwy oedd yn canu ar y llwyfan. Clywodd gerddoriaeth a chaneuon nad oedd erioed wedi eu clywed o'r blaen – geiriau llawn syniadau ac anghytgord, nodau oedd yn atseinio oddi ar y gwydrau gyda'r hylif nerthol a gludiog yn diferu i lawr eu hochrau tryloyw. Weithiau, byddai bochau coch yn gweiddi'n ffyrnig dros y bysedd main oedd yn cydio'n dynn yn y gwydrau ond, ran amlaf, llwyddai y Viola i greu awyrgylch a oedd yn llawn egni ifanc a chynhyrfus, gyda dirgelwch y lle yn cyfrannu at ei ddisgleirdeb.

Roedd Frieda wedi dechrau dysgu caneuon Adelita ac yn ymarfer eu canu, yn enwedig pan oedd yn amser tacluso ar ddiwedd noson – fel arfer, tua phedwar y bore. Roedd caneuon Adelita wastad yn gwneud iddi feddwl am ei mam, ac am y syniadau rhamantus a chymhleth oedd ganddi tuag at dad

Frieda. O ddadansoddi perthynas Jak ac Adelita, fe ddaeth Frieda i'r casgliad fod eu perthynas yn debyg. Un eiliad roedd eu dwylo dros ei gilydd fel anrhegion Nadolig, a dannedd yn gwasgu'n swil ar wefusau. Yna, yr eiliad nesaf, geiriau pigog ac ochenaid sur.

Un noson, roedd y ddwy lan yn ystafell Adelita, gydag Elsha, Leisl, Ana, a dwy ferch arall, feddw. Roedd syched arnynt i drio'r fodca wnaeth Ana ei ddwyn oddi ar filwr yn yr Haus Vaterland ar ôl y sioe nos Sadwrn. Roedd Adelita wedi gofyn i Frieda nôl ei hesgidiau, ei siôl a'i menig roedd hi wedi eu gadael ar y llwyfan ar ôl fersiwn eitha bywiog o un o hoff ganeuon Frieda, 'Taflwch Allan y Dynion' gan Hollaender.

Camodd Frieda ar y llwyfan gyda'i garped ysgarlad a'i batrwm o staeniau alcohol a llwch sigarennau. Estynnodd ei llaw i ddal coes hir, oer, arian y meicroffon. Edrychodd allan ar y bar gwag. Roedd pawb lan y grisiau. Yr eiliad honno roedd y blinder yn ei gwaredu o unrhyw hunanymwybyddiaeth.

Cymerodd Frieda anadl ddofn a chanu pob un gair yr oedd hi'n gallu'i gofio o 'Surabaya Johnny'. Roedd Adelita wastad yn edrych ar Jak pan oedd hi'n canu'r gân yma. Syllai arni ble bynnag roedd hi yn y bar, hyd yn oed os nad oedd Jak yn edrych 'nôl.

Wrth iddi amgylchynu ei hun yn ei llais, meddyliodd Frieda am ei mam. Wrth iddi deimlo poen y golled, canodd y nodau allan yn uchel. Roedd hyn yn teimlo'n dda. Doedd hi erioed wedi canu fel hyn o'r blaen, y boen fel addurn ar y gystrawen. Yna, cofiodd un o ganeuon eraill Adelita. Gan droi ei chefn ar y gynulleidfa o gadeiriau gwag, canodd yn uchel i'r wal gyda'i phapur blodeuog lliw tywod. Mwynhaodd y profiad yma o ganu a oedd yn rhyddhau'r boen yn ei brest.

Canodd Frieda nodyn olaf y gân ac wrth iddi droi, gwelodd fod Ana, y ddwy ferch a Jak yn syllu arni o'r grisiau.

Gwnaeth Ana a'r ddwy ferch sgrechian chwerthin. Gweddïodd Frieda am fellten i'w tharo'n farw yr eiliad honno. Teimlai'n gyfoglyd gan gywilydd.

'Frieda, be yffach ti'n neud?' ebychodd Ana, y tu ôl i ddagrau'r chwerthin. 'Pwy ti'n feddwl wyt ti? Adelita?'

'Dyna be mae hi eisiau, yntefe?' atebodd un o'r merched yn slei, gan edrych tuag at Jak.

'Na, na! Dim o gwbl. Dim ond bach o hwyl oedd e wrth lanhau. Rwy'n addo!'

Cyn iddi deimlo mwy o gywilydd wrth ddangos y dagrau oedd yn dechrau ymgasglu yn un o'i llygaid gwyrdd, cododd Frieda ddillad Adelita o'r llawr, a chamodd allan o'r bar. Trawodd yn erbyn ysgwydd Jak wrth fynd am y grisiau. Ni wnaeth Jak symud o'i ffordd.

Y diwrnod wedyn, roedd Frieda yn sgrwbio'r llwydni oddi ar lawr y coridor pan ddaeth Adelita a Jak allan o'u hystafell a sefyll gan edrych i lawr arni.

'Wedodd Jak dy fod ti wedi bod yn canu ar y llwyfan neithiwr, Frieda.'

Teimlodd Frieda'r gwaed yn saethu i'w bochau.

'Dwi wir yn ymddiheuro, Adelita. Wneith e ddim digwydd eto.'

Culhaodd llygaid Adelita. 'Clywais dy fod yn eitha da. Ond heb dy weld fy hunan, sut alla i gredu'r peth?'

Nid ymatebodd Frieda Raske. Addawodd iddi ei

hunan na fyddai'n canu byth eto. Roedd wedi achosi cymaint o gywilydd iddi'i hun. Fyddai hi byth fel Adelita. Roedd ei chefndir yn rhy dlawd, ei llythrennedd yn rhy wan, ei chroen yn rhy dywyll … Tynhaodd ei llaw oer a gwlyb o gwmpas pigau'r brwsh llawr.

'Rwyt ti'n mynd i ganu "Münchhausen" heno, cyn fy set i. Rwyt ti wedi clywed y gân yna ddigon o weithiau. Gei di un ymarfer gyda Greta am bump o'r gloch. Os wyt ti'n ddigon da heno, falle gei di slot.'

Agorodd Frieda ei llygaid led y pen gan edrych lan ar Jak ac Adelita yn syfrdan.

'Ond pam?' gofynnodd yn araf.

'I weld wyt ti'n haeddu bod mor haerllug ag oeddet ti neithiwr,' atebodd Adelita'n gyflym. 'A na, chei di ddim ffrog gennyf fi i'w gwisgo.'

Ac, fel fflach, camodd heibio Frieda gan adael Jak yn syllu arni. Symudodd Jak ati a phenlinio, gan edrych yn syth i'w llygaid. Wrth i Frieda anadlu allan, teimlodd law Jak yn amgylchynu ei braich. Edrychodd Frieda ar y llaw fawr, ddynol oedd yn berchen ar arddwrn main a thyner.

'Dilyna Greta heno. Fe fydd hi'n garedig wrth rywun mor ifanc. A phaid ag edrych yn rhy hir i lygaid unrhyw fenyw mewn siwt.' A chyda gwên fach, camodd Jak tuag at y grisiau ac aeth i lawr i'r bar.

Eisteddodd Frieda am amser hir, gan deimlo cynhesrwydd y cyffro o gael y cyfle i ganu i gynulleidfa yn gwrthdaro ag ofn rhewllyd beirniadaeth Adelita a fyddai fel tonnau mewn storm.

Fe ddaeth llygaid Jak i'w meddwl, eu glesni clir, gwydraidd ac agored, a theimlodd ryw fath o ddistawrwydd ffrwydrol yn ei bron.

Llygaid yn y nos

Ifana Savill

Roedd y parti drosodd. Caeodd y drws wrth glywed y graean yn crensian dan bwysau teiars y ceir. Dim ond un car oedd ar ôl, car ei ffrind Alys. Cerddodd yn flinedig drwy'r cyntedd ac i'r lolfa gan suddo i'r soffa ledr anferth a thynnu ei hesgidiau sodlau uchel a'u cicio i ganol y llawr. Clywodd sŵn tincian gwydrau yn y gegin – Alys yn dechrau clirio a llwytho'r peiriant. Galwodd arni, 'Gad bopeth, Alys fach. Mae'r cwmni arlwyo yn dod 'nôl i glirio fory.'

'Na, mae'n iawn. Fe wna i gario 'mlaen am sbel fach 'to.'

'Na, Alys. Gad bopeth i fod.'

Stopiodd y sŵn. Difarodd fod mor siarp. Roedd yn gwybod y byddai Alys wedi synhwyro'r pendantrwydd yna yn ei llais.

'Os ti'n siŵr, 'te?' meddai Alys o'r gegin.

'Odw, yn bendant siŵr,' oedd yr ateb cadarn. Damia, roedd hi wedi ei wneud e eto.

Cerddodd Alys drwodd i'r lolfa.

'Mi a' i, 'te. Ti'n edrych wedi blino'n lân.'

'Mi ydw i, Alys fach. Pam fod rhaid i'r gŵr 'na sy gen i drefnu parti'r cwmni ac ynte ddim 'ma, gwed wrtha i?'

'Whare teg, gweithio ma' Llew,' atebodd Alys.

'Hmm. Dere, iste am funud. Beth am i ni'n dwy ga'l *night cap* bach? Jyst ni'n dwy.'

'Wy'n gyrru, cofio? Ond cymer di un. Ac mae'n well i fi ei throi hi am adre ta beth. Duw a ŵyr beth fydd y plant 'na wedi ei wneud i'w tad!' meddai Alys gan chwerthin a dechrau tynnu'r llenni. Stopiodd yn sydyn a syllu allan eto. Meddyliodd ei bod wedi gweld rhywbeth yn symud tu ôl i un o'r llwyni ... ond na, fe fyddai'r system ddiogelwch wedi eu rhybuddio pe bai rhywbeth amheus allan yno. Roedd Llew yn gwneud yn siŵr ei fod yn diogelu ei eiddo materol a phersonol. Gobeithio nad oedd wedi dangos ei bod wedi gweld rhywbeth – doedd hi ddim eisiau codi ofn ar ei ffrind. Llwynog falle? Roedden nhw'n bla yng ngerddi pobl. Tynnodd y llenni'n dynn.

Gwyliodd Alys ei ffrind wrth iddi godi o'r soffa a mynd at y cwpwrdd diodydd gan arllwys brandi helaeth iddi'i hun.

'Jyst mynd i'r lle chwech,' meddai hi wrth Alys gan gymryd dracht helaeth o'r brandi cyn rhoi'r gwydr crisial trwm ar y bwrdd coffi derw.

Roedd yn ei lwyr haeddu, meddyliodd Alys. Roedd wedi sylwi nad oedd ei ffrind wedi cyffwrdd ag unrhyw ddiod yn ystod y parti er bod y siampên yn popio ac yn llifo. Fel arfer fe fyddai'n cael glasiaid neu ddau, ond ddim heno. Pam tybed? Straen cynnal y parti heb Llew yno, siŵr o fod. Roedd ei ffrind gorau wastad ar ei gwyliadwriaeth. Doedd pawb ddim yn ffrind iddi, er eu bod yn esgus bod, yn weniaith i gyd i'w hwyneb ond y cyllyll wastad yn barod pe bai'n digwydd troi ei chefn am eiliad. Peth ofnadwy yw cenfigen, meddyliodd Alys. Roedd ei hen ffrind coleg yn ferch eithriadol o hardd a galluog ac yn briod gydag un o ddynion cyfoethocaf y ddinas. Ond roedd pris i'w dalu am hynny, fel y gwyddai Alys yn iawn.

Roedd Llewelyn Iorwerth flynyddoedd yn hŷn na'i wraig ac yn tynnu am yr hanner cant erbyn hyn. Cofiodd 'nôl fel y gwnaeth ei ffrind, ar ôl graddio, ddechrau gweithio i gwmni llwyddiannus yn y ddinas. Ac o dipyn i beth fe ddaeth yn gwbl amlwg fod perchennog y cwmni â diddordeb mawr yn y ferch ifanc, alluog. Fe wnaethon nhw briodi, ond roedd y gwaith yn golygu fod rhaid i Llew weithio i ffwrdd y rhan fwyaf o'r amser gan adael ei wraig ifanc am gyfnodau hir ar ei phen ei hun. Ond fe wnaeth bopeth posib i'w chadw'n hapus yn ei dyb ef – tŷ moethus, digonedd o arian yn y banc a hyd yn oed awyren y cwmni at ei gwasanaeth. Ond roedd Alys wedi synhwyro ers sbel nad oedd popeth yn fêl i gyd ym mywyd ei ffrind.

Roedd Llew wrth ei fodd yn cael ei wraig ifanc, olygus wrth ei ochr mewn partïon a digwyddiadau cymdeithasol pwysig ond roedd Alys yn gallu gweld y gwacter unig yna yn llygaid ei ffrind, yn enwedig yn ddiweddar pan alwai i'w gweld hi a'r efeilliaid. Ceisiodd ei holi a fyddai hi'n hoffi cychwyn teulu, ond newid y pwnc wnâi hi bob tro gan ddweud nad oedd unrhyw ddiddordeb gyda Llew mewn bod yn dad. Roedd e'n amlwg yn ceisio cadw ei wraig yn brysur gan fod lle blaenllaw iawn ganddi yn y cwmni. Roedd yn un o'r cyfarwyddwyr ac ar y bwrdd rheoli a chanddi gyfran dda iawn o randaliadau. Gwyddai pawb gymaint yr oedd ei gŵr yn dibynnu ar ei barn ac mai ati hi y byddai'n troi am gyngor bob tro roedd argyfwng. Roedd Alys wedi gweld hyn yn digwydd dro ar ôl tro gan ei bod hi'n gweithio yn un o adrannau'r cwmni. Chware teg i'w ffrind, fe wnaeth hi edrych ar ei hôl hi pan fu rhaid iddi adael y coleg cyn graddio ar ôl darganfod ei bod yn disgwyl efeilliaid. Dyna beth oedd cyfnod anodd a dweud y lleiaf. Ond mi fyddai pethau wedi bod yn llawer anoddach arni pe na bai wedi cael cefnogaeth gadarn ei ffrind.

Pan ddaeth hi'n ôl i mewn i'r lolfa sylwodd Alys fod ei ffrind wedi rhoi minlliw ffres ar ei gwefusau.

'Iawn 'te, well i fi ei throi hi,' mynte Alys.

'Diolch i ti am bopeth. Ti werth y byd yn grwn.'

Cerddodd y ddwy fraich ym mraich allan o'r lolfa ac aeth Alys i nôl ei chôt.

'O, edrych ar y lleuad yna, Alys,' meddai hi wrth estyn i agor y drws ffrynt gwydr. Tynnodd Alys ei ffrind yn ôl yn ddisymwyth.

'Be ti'n neud?' chwarddodd hi.

'Mae'n anlwcus edrych ar leuad lawn drwy wydr,' meddai Alys wedi cynhyrfu'n lân. 'Roedd Mam wastad yn gwneud i ni fynd allan i edrych ar leuad lawn! Nawr, fe elli edrych,' meddai gan agor y drws. Ond roedd yn gwybod ei bod yn rhy hwyr, roedd ei ffrind wedi gweld y lleuad drwy'r gwydr. Difarodd Alys iddi ddweud unrhyw beth.

'Ti a dy ofergoelion a ddysgest gan dy fam! Ti'n newid dim, Alys fach. A diolch byth am hynny!'

Cofleidiodd y ddwy ei gilydd cyn ffarwelio ac yna clywodd Alys y drws yn cau'n glep.

Cafodd y drws ei gau, ond nid ei gloi, meddyliodd wrth yrru i ffwrdd.

Pe bai Alys wedi edrych yn ôl ar y tŷ yn y drych wrth iddi yrru i lawr y dreif, mi fyddai wedi gweld cysgod yn dod allan o'r llwyni, yn pasio ffenest y lolfa ac yn diflannu i mewn drwy'r drws.

'Blydi hel! Feddylies i na fydde hi byth yn mynd,' mynte fe gan gydio'n awchus ynddi.

'Mae hi'n ffrind da i mi … ers dyddie coleg, cofia,' atebodd gan gamu yn ôl oddi wrtho. 'Amynedd, Mr Gwilym Jones!'

'Credu 'mod i wedi pasio'r prawf hynna ers amser,' mynte fe gan roi ei fraich am ei chanol y tro yma.

'Dere, dwi isie dangos rhywbeth i ti,' meddai hi.

'O'r diwedd,' sibrydodd yn isel wrth gusanu ei gwddf.

'Ddim eto. Cau dy geg … a dy lygaid,' ac fe wnaeth ei dywys yn ôl at y drws. Agorodd y drws. 'Reit, fe gei di agor dy lygaid nawr.'

Agorodd ei lygaid. 'Ymmm … beth ydw i i fod i'w weld?' holodd.

'Y lleuad … lleuad lawn,' mynte hi gan bwyntio at yr awyr.

Ond yr eiliad honno diflannodd y lleuad dan gwmwl.

'Damia!' mynte hi. 'Fe ddysges i rywbeth newydd heno.'

'Allen inne ddysgu pethe newydd i ti heno hefyd 'sen i'n cael hanner cyfle!'

'Ara bach, Mr Jones. Wy'n ceisio dy drwytho mewn hen ofergoelion. O't ti'n gwybod ei bod hi'n anlwcus edrych ar leuad lawn drwy wydr?'

Ysgydwodd Gwilym ei ben.

'Alys wedodd hynna wrtha i gynne fach. O'n i isie i ni'n dau ei gweld gyda'n gilydd fel y bydde'n dod â lwc dda i ni,' meddai wrtho.

'Does dim angen mwy o lwc arna i,' dwedodd mewn llais oedd yn dew gan chwant, gan ei thynnu tuag ato unwaith eto.

'Mae pawb angen lwc,' meddai hi'n dawel. 'Wy wedi hen ddysgu mai hap a damwain yw bywyd.'

'Ti'n ddifrifol iawn heno, Mrs Iorwerth,' meddai gan roi ei law dan ei gên a'i gorfodi i edrych arno.

'Cer trwyddo i'r lolfa, mae llygaid ym mhobman … yn enwedig yn y nos,' meddai hi gan droi oddi wrtho i gloi'r drws. Pwysodd ei thalcen yn erbyn y gwydr oer am eiliad. Beth yn y byd mawr oedd hi'n ei wneud, neu ar fin ei wneud?

Hi oedd wedi trefnu'r cwbl.

Hi welodd y cyfle pan ddwedodd Llew na fyddai yn y parti.

Hi oedd wedi gwahodd Gwilym i aros y nos a hi oedd wedi cynllwynio pob peth, gan gynnwys diffodd y system ddiogelwch.

Trodd i wylio Gwilym yn cerdded i lawr y cyntedd. Roedd y dyn ifanc carismatig hwn yn beryglus o olygus, gyda'i gorff athletig, cyhyrog yn demtasiwn pur. Ac er bod Llew yn dal i fod yn ddyn golygus, wnaeth ef erioed ei chyffroi fel y gwnâi hwn. Cofiodd weld Gwilym am y tro cyntaf yn un o gyfarfodydd y cwmni. Roedd hwn yn amlwg yn ddyn uchelgeisiol ac yn mynnu cael ei ffordd ei hun. Roedd ei agwedd fyrbwyll a mentrus yn ei denu yn fwy na dim. Gwrthgyferbyniad perffaith â'i gŵr a oedd bob amser yn fonheddig a phwyllog. Roedd tân ym mol hwn a direidi yn ei lygaid glas. Darganfu ei hun yn trefnu i fod yn yr un cyfarfodydd ag e. Ac fe drodd y fflyrtio diniwed yn rhywbeth mwy peryglus. Doedd hwn ddim yn ceisio cuddio'r ffaith fod arno'i heisiau hi a'i fod yn fodlon mentro popeth er mwyn ei chael. Dihunwyd rhyw chwant cynhenid ynddi hithau − rhywbeth na allai hi ei reoli. Doedd dim troi'n ôl i fod.

Roedd Gwilym yn eistedd ar y soffa ac wedi tynnu ei siaced ac yn datod ei dei, tra aeth hi at y ffenest gan gymryd un cip bach clou tu ôl i'r llenni.

'Mae'r lleuad dal dan gwmwl,' ochneidiodd a throi ato. 'Ti'n siŵr na welodd neb ti?'

'Neb. Fe wnes i'n siŵr o hynny. Ond …'

'Ond beth?'

'Fe ges i ofan bod dy ffrind wedi fy ngweld − fe ddaeth at y ffenest i dynnu'r llenni ac fe stopiodd yn stond am funud.'

'Do, fe sylwais i ar hynna ond wedodd hi ddim, diolch i'r nef. O, Gwil, ti'n meddwl ei bod hi wedi dy weld?'

'Na. Paid â phoeni, welodd hi ddim ohona i. Wy llawer rhy ofalus,' a chwarddodd. 'Ond…'

'Ond beth?' gofynnodd hi eto mewn llais nerfus erbyn hyn.

'Ond fe wnaeth Siôn Bowen edrych arna i'n od pan welodd e ni'n dau yn cyfarch ein gilydd.'

'Fe gafodd e gusan ar ei foch fel ti ac fel pawb arall pe bai'n dod i hynny.'

'Un slei yw e. Mae e fel rhyw lwynog yn sniffian rownd y swyddfa − gwybod busnes pawb. A ma' nhw'n dweud ei fod yn edrych ar negeseuon ffôn pobl hefyd.'

'O, Gwil, gobeithio nad yw e wedi cael gafael ar dy ffôn di ... dydi dy negeseuon di ddim yn gadel dim i'r dychymyg.'

'Paid â becso, wy'n ofalus iawn, iawn. Dere yma, wir Dduw ...'

'Mae Llew yn ei gasáu ond yn dweud ei fod yn dibynnu tipyn arno,' meddai hi mewn llais anesmwyth.

'Cario clecs iddo ma'r diawl bach,' atebodd.

'Hmm,' mynte hi. 'Erbyn meddwl, fe wnaeth e adael yn gynnar – roedd e ar ei ffôn drwy'r adeg y buodd e 'ma. Ma'n gas gen i bobl sy'n gwneud hynna. Pam na alle fe aros nes mynd adre? Mae'n beth mor anghwrtais i'w wneud.'

'Rhywbeth pwysig iawn ... fel arfer, siŵr o fod!' atebodd Gwilym yn ddiamynedd. Roedd wedi cael digon ar y mân siarad yma. 'Beth am i ni'n dau anghofio am Siôn ac am Llew ac am bawb a phopeth heno?' Roedd ei lais yn floesg gan chwant.

'Ti'n iawn. Ein noson ni yw heno,' meddai hi wrth gerdded yn araf tuag ato gan estyn tu ôl i'w chefn i ddatod sip ei ffrog sgleiniog ddu oedd yn ei ffitio fel maneg. Cododd Gwilym i'w helpu. Syrthiodd y ffrog yn un swp drudfawr i'r llawr. Cofiodd fel roedd y fenyw hardd yma wedi ei gorddi o'r munud cyntaf y gwelodd hi yn y swyddfa. Cododd hi yn ei freichiau cryfion a'i rhoi i orwedd ar y soffa.

'Araf bach piau hi heno,' sibrydodd yn ei glust wrth ddatod botymau ei grys. 'Wy isie cofio pob un dim.' Curodd ei chalon yn gyflymach o weld ei lygaid yn duo wrth iddyn nhw werthfawrogi harddwch ei chorff. Tarfwyd ar yr awyrgylch drydanol gan sŵn aflafar.

Ochneidiodd Gwilym. 'Y blydi ffôn,' mynte fe ac

ymbalfalodd ym mhoced ei drwser. Yn ei frys roedd wedi anghofio ei ddiffodd.

'Pwy sy 'na?' holodd hi.

Stopiodd y ffôn ganu wrth i Gwilym ddweud, 'Ei droi e bant wy, fenyw, ddim ei ateb!' gan daflu'r ffôn i ben arall y soffa. Ddwedodd e ddim wrthi ei fod wedi gweld enw Llewelyn Iorwerth yn fflachio ar y sgrin. Roedd e'n aml yn ei ffonio'n hwyr y nos, ac yntau yn ei wely, i drafod gwaith, ond ddim cweit mor hwyr â hyn chwaith. Fel arfer fe fyddai yn ei ateb ... hyd yn oed pe bai rhywun yn cadw cwmni iddo, ond ddim heno.

'Falle 'i fod e'n bwysig,' meddai hi wrth iddo ddod yn ôl i'w breichiau.

'Ddim mor bwysig â hyn,' sibrydodd cyn ei chusanu'n ddwfn. Cusan wnaeth anfon taranfollt drwy'i chorff.

Roedd Gwilym wedi penderfynu yr eiliad y gwelodd e hon y byddai yn ei chael ac roedd hynny ar fin digwydd. Gwyddai ei fod yn chwarae gêm beryglus, gêm yr oedd yn hen gyfarwydd â hi a gêm yr oedd wastad yn ei hennill. Fe chwaraeodd ei gardiau yn berffaith y tro hwn.

'Shh, glywest ti hynna?' meddai hi gan dynnu ei hun oddi wrtho. 'Sŵn car yn stopio ar waelod y dreif.'

'Rhywun yn chwilio am rywle,' mynte fe gan ei thynnu tuag ato eto.

'Yr amser hyn o'r nos?' gofynnodd hi. 'Mae ceir yn pasio ond mae'r car yna wedi stopio.'

'Mae lladron yn targedu tai yn yr ardal 'ma'n amal,' mynte fe wrthi. 'Ond mae'r tŷ 'ma fel Fort Knox gyda'r system ddiogelwch 'na mae Llew mor falch ohoni!'

'Gwilym, wnes i ddim ei gosod ar ôl i ti ddod i mewn. Fe anghofies yn llwyr.'

'Pam hynny, tybed?' sibrydodd mewn llais bloesg gan ddatod ei bronglwm gydag un symudiad celfydd.

Yna clywodd y ddau sŵn teiars gwyllt yn sgrialu ar y graean a gweld golau car yn disgleirio i mewn i'r lolfa drwy'r llenni.

'Beth yn y byd sy'n digwydd, Gwilym?'

'Rhyw gryts ifanc, siŵr o fod, yn cael sbort,' mynte fe wrthi gan ei chusanu'n wyllt.

Yna, fe glywsant sŵn car yn sgrechian i stop a'r drws yn cael ei agor a'i gau gyda chlep anferthol. Sŵn traed ac yna allwedd yn y clo a'r drws yn cael ei daflu ar agor.

'Blydi hel, mae rhywun yn dod i mewn i'r tŷ,' meddai Gwilym gan chwilio'n wyllt rhwng clustogau'r soffa. 'Ble ma'r blydi ffôn 'na?'

'Dim ond gyda Llew mae allwedd arall,' meddai hi wrtho yn dawel. Cyn iddyn nhw gael cyfle i wneud na dweud dim arall fe ruthrodd ei gŵr i mewn i'r stafell.

'Wel, wel! Croeso adre, Mr Llewelyn Iorwerth,' meddai Gwilym gan estyn am ei grys wrth godi o'r soffa yn haerllug o hamddenol.

'Cau hi'r cythrel,' bloeddiodd Llew. 'A dyma fel ti'n fy nhalu yn ôl?' gwaeddodd ar ei wraig. 'Ar ôl yr holl flynyddoedd yma. Wy wedi rhoi popeth i ti. Popeth.'

'Mae'n ddrwg 'da fi dy fod wedi gweld hyn,' meddai hithau'n dawel gan geisio cuddio ei noethni.

'Mae'n ddrwg gen ti? Mae'n ddrwg gen ti? Ddim hanner mor ddrwg ag y bydd hi yfory, 'merch i,' gwaeddodd arni. 'Wy wedi rhoi pob peth posib i ti. Pob peth.'

'Pethe materol ges i gen ti, Llew.'

'Ro'n i'n meddwl ein bod yn deall ein gilydd. Beth arall oedd ei angen arnat ti?' holodd ef hi yn ddryslyd.

'Cwmni. Agosatrwydd. Dechrau teulu … a chariad,' mynte hi'n dawel. 'Ches i ddim cariad gen ti.'

'A ti'n meddwl gei di gariad gan hwn?' gwaeddodd yn ddirmygus gan edrych ar Gwilym, a rhoi hergwd hegr iddo nes ei fod yn ôl ar y soffa gyda hi.

'O leia mae e wedi gwneud i'm gwaed i rasio a gwneud i fi deimlo fel pe bai rhywun fy angen i.'

Bu tawelwch llethol.

Yna mewn llais tawel holodd Llew ei wraig, 'A dwyt ti ddim yn credu 'mod i dy angen di?'

'Wnest ti ddim dangos hynna i mi erioed, Llew,' oedd ei hateb. 'Ddim un waith.'

Rhythodd Llew yn ddryslyd ar ei wraig mewn anghrediniaeth lwyr.

Torrodd llais Gwilym fel cyllell drwy'r distawrwydd.

'O ho! Dwi'n credu bod angen i chi'ch dau siarad. Tybed ydi dy ŵr yn dy garu di wedi'r cwbl, Mrs Llewelyn Iorwerth? Well i fi fynd.'

Rhuthrodd Llew tuag ato a chydio yng nghrys agored Gwilym gan ei godi'n grwn o'r soffa.

'Cau dy geg, neu fe wna i ei chau hi i ti. Ac ie, well i ti fynd, y bastard bach. Wy isie dy lythyr ymddiswyddiad di ar fy nesg i ben bore fory ac yna hegla hi, ac fe wna i'n dam siŵr na wneith unrhyw gwmni gwerth ei halen dy gyflogi di.' Plygodd Llew i godi siaced Gwilym a'i thaflu ato gan ei wthio allan o'r lolfa.

'Llew, cymer bwyll,' galwodd ei wraig gan godi a cheisio gwisgo ei ffrog a'u dilyn i'r cyntedd. 'Gwilym yw'r person gore sy gen ti yn y cwmni. Pwy arall fydde'n mentro ei wddwg ei hun i neud y dêls carlamus yna rwyt ti'n dibynnu gymaint arnyn nhw erbyn hyn?'

'Bydd dawel yr … hwren,' gwaeddodd arni wrth roi

hergwd arall i Gwilym allan drwy'r drws gwydr agored. Pe bai Gwilym wedi dymuno hynny, fe fyddai wedi gallu llorio Llew, ond wnaeth e ddim. Taflodd ei siaced dros ei ysgwydd a swagrodd i lawr y dreif.

'Sut ddest ti i wybod am hyn, Llew?' Ni wnaeth ei hateb. Gwawriodd y gwirionedd arni. 'Ai Siôn Bowen ddwedodd wrthot ti? Ie, wrth gwrs ... bydd yn ofalus, Llew. Ti'n gwybod pa mor beryglus ...'

Torrodd Llew ar ei thraws.

'Bod yn ofalus,' gwaeddodd arni, 'bod yn ofalus? Ar ôl be sydd wedi digwydd fan hyn heno, mae'r wyneb gen ti i ddweud wrtha i am fod yn ofalus. Fe fydda i wedi trefnu i Tony dy hedfan allan i'r tŷ yn Llydaw bnawn fory – fe fydd y swyddfa yn cadarnhau popeth ben bore.' A chyda hynny, allan ag e i'r nos gan roi clec anferthol i'r drws nes bod popeth yn ysgwyd a'r sŵn yn diasbedain drwy'r tŷ gwag.

Pwysodd ei thalcen yn erbyn y gwydr oer a chododd ei llygaid i weld y lleuad lawn yn crechwenu i lawr arni.

Fisoedd lawer yn ddiweddarach ...

'Wy mor falch dy weld ti, Alys.' Cofleidiodd y ddwy ffrind ei gilydd yn y maes awyr.

'A finne tithe. Shwt wyt ti?' Gwelodd Alys fod ei ffrind wedi colli pwysau a sylwodd ar y cylchoedd duon o dan ei llygaid, er ei bod yn amlwg ei bod wedi ceisio eu cuddio gyda cholur celfydd.

'Wy'n iawn. Diolch i ti am ddod draw i'm gweld a diolch am gadw mewn cysylltiad dros y misoedd dwetha 'ma.'

A dyma'r ddwy yn cerdded fraich ym mraich allan i'r heulwen grasboeth ac i mewn i'r tacsi oedd yn eu disgwyl.

Rhyw awr o daith oedd o'r maes awyr i'r bwthyn ac fe sylwodd y gyrrwr gymaint roedd y ddwy yn clebran a chwerthin. Stopiodd wrth un o'r bythynnod gyda'r enw Gwalia ar y giât. Doedd y ddwy ddim wedi sylweddoli eu bod wedi cyrraedd pen eu taith hyd yn oed, meddyliodd. Roedden nhw'n dal i siarad fel pwll y môr mewn iaith estron iddo ef. Doedd e erioed wedi gweld perchennog Gwalia yn edrych mor hapus.

'Roeddwn i wedi anghofio mor hardd mae hi yma,' meddai Alys wrth edrych ar yr olygfa. 'Ti oedd yn iawn i fynnu prynu hwn, llawer gwell na rhyw fila yn Sbaen fel oedd Llew am ei brynu.' Roedd y môr fel llyn o lonydd a'r tonnau bychain yn lapio eu hunain o amgylch y traeth euraid. 'Ydi'r caffi bach yna yn dal i fod ar y traeth?'

'O odi. Ac maen nhw'n dal i weini y *moules marinières* gore yn Llydaw. Fe awn ni yna fory.'

Edrychodd Alys ar ei ffrind cyn dweud, 'Wy'n gorfod mynd adre fory. Mae rhywbeth 'mlaen yn yr ysgol gyda'r efeilliaid nos yfory a wy wedi addo bod yna. Ma' nhw dal angen eu mam, t'wel!'

'O, wrth gwrs,' oedd yr ateb tawel. Am eiliad fe wnaeth deimlo'r eiddigedd cyfarwydd tuag at Alys. Fe wnâi hi unrhyw beth i gael y teimlad yna fod rhywun ei hangen hi nawr, y teimlad yna o fod yn wraig ac yn fam. Ceisiodd guddio ei siom a'i diflastod drwy ddweud, 'Dere, ti siŵr o fod wedi blino. Mae mor boeth heddiw.' Cydiodd ym mraich Alys a cherddodd y ddwy i fyny tuag at y bwthyn.

Tra bu Alys yn dadbacio a chael cawod, fe eisteddodd hi ar y patio gan adael i'w meddwl grwydro. Doedd hi ddim yn caniatáu iddi ei hun wneud hyn yn aml y dyddiau hyn.

Roedd hi heb weld Alys ers y noson ofnadwy honno ac roedd wedi edrych ymlaen at gael ei chwmni am ychydig ddiwrnodau, o leia. Roedd misoedd lawer wedi mynd heibio ers y noson dyngedfennol ac roedd Llew wedi cadw at ei air a threfnu ei bod yn cael ei hedfan i Lydaw y diwrnod canlynol. Roedd y swyddfa wedi ffonio ben bore gyda'r amser a'r manylion, a'r ferch wedi cael blas anghyffredin ar ddweud nad oedd wedi cael unrhyw gyfarwyddiadau i drefnu dyddiad dychwelyd. Roedd yn amlwg fod y bitsh fach yn gwybod yn iawn am yr helynt. Roedd y cyfryngau cymdeithasol felltith ar waith yn barod. Ac roedd yn gwybod bod hyn yn fêl ar fysedd pawb.

Cofiodd fel y gwnaeth bacio llond cês o ddillad ac yna mynd i'r stydi i nôl ei ffôn. Cofiodd fel y gwnaeth edrych o'i hamgylch a cherdded draw at y silffoedd llyfrau. Tynnwyd ei sylw at un silff yn arbennig – llyfrau y bu'n eu hastudio ar gyfer ei chwrs Cymraeg yn y coleg flynyddoedd maith yn ôl.

Anwesodd bob un llyfr cyn dewis rhyw ddwsin ohonynt a'u cario drwodd i'r cyntedd lle roedd wedi gadel ei chês. Fe'i hagorodd, ac wedi tynnu nifer fawr o'r dillad allan, rhoi'r llyfrau yn eu lle. Roedd am fynd â'r rhain gyda hi. Fe fyddent yn gwmni iddi ac yn ei hatgoffa o'i dyddiau fel myfyrwraig ifanc, benchwiban. Gadawodd y dillad yn fwndel anniben ar y llawr a gadael ei bwndel o allweddi ar y bwrdd bach, cyn agor y drws a chamu allan. Wnaeth hi ddim trafferthu ei gau. Roedd y tacsi yn aros amdani a'r injan yn rhedeg a chofiodd sut y bu iddi sefyll gan edrych yn ôl ar y tŷ a sibrwd, 'I'r diawl â ti, Llewelyn Iorwerth, ti a dy gwmni.' Wnaeth hi ddim sylwi ar staff y cwmni arlwyo oedd newydd gyrraedd i glirio llanast neithiwr.

Erbyn hyn roedd wedi dod i arfer â'i chwmni ei hun. Roedd wedi ceisio cymdeithasu rhyw ychydig ond yn gofalu ei bod hi'n cadw ei phellter – doedd hi ddim eisiau ateb cwestiynau. Roedd yn treulio ei hamser yn darllen ac arlunio, er nad oedd llawer o siâp ar y lluniau, ond o leiaf roedd yn gallu ymgolli ac anghofio am rai oriau. Ond yna bob nos deuai'r unigrwydd a'r gwacter creulon. Roedd yn colli ei gwaith a'r wefr o fod mewn rheolaeth ac yn waeth na dim, gwyddai ei bod wedi colli ei phwrpas mewn bywyd. Pe bai ganddi hi blant, mi fyddai'n stori wahanol, meddyliodd. Ar y dechrau roedd wedi ceisio trafod cael teulu sawl gwaith gyda Llew, ond yr un ymateb a gâi bob tro. Roedd ar y cwmni angen ei holl sylw. Efallai y byddai pethau'n llai prysur y flwyddyn nesa. Esgus ar ôl esgus. Yn y diwedd doedd hi ddim yn sôn am y peth. Doedd dim pwynt. Erbyn hyn roedd ei chloc biolegol yn tician yn boenus o gyflym.

Chlywodd hi'r un gair gan Gwil. Roedd hi'n amlwg fod Llew wedi cael ei wared fel y gwnaeth fygwth y noson honno. Diflannodd oddi ar wyneb y ddaear ond fe soniodd Alys wrthi ymhen sbel ei bod wedi clywed ei fod wedi symud i Efrog Newydd – roedd ganddo deulu yn byw yno. Fe fyddai'n landio ar ei draed ble bynnag y byddai. Chlywodd hi ddim gair gan Llew chwaith.

Crwydrodd ei meddwl yn ôl i'r cyfnod pan adawodd y coleg. Cafodd swydd yn syth gyda chwmni llewyrchus yn y ddinas – Llew oedd berchen y cwmni ac roedd yn dipyn o bluen yn ei chap fod y perchennog yn cymryd gymaint o sylw ohoni hi. Fe wnaeth e bopeth i hwyluso ei gyrfa ac ymhen dim roedd hi'n bennaeth ei hadran ac yn wraig iddo. Gwyddai cyn ei briodi nad oedd Llew yn un am ddangos ei deimladau. Gallai ymddangos yn oer ac yn ffurfiol … hyd yn oed yn y gwely. Gwyddai ei fod wedi cael ei anfon i ysgol breifat pan oedd yn ddim o beth ac wedi colli ei rieni pan oedd yn weddol ifanc. Er iddi geisio dro ar ôl tro ei gael i rannu ei deimladau, yr un ymateb a gâi – roedd fel petai yn ei chau hi allan ac roedd y llen yn disgyn.

Neidiodd yn ôl i'r presennol wrth i Alys ymuno â hi ar y patio. 'O, wy wedi gweld dy isie di shwt gymaint,' meddai Alys gan ddechrau beichio llefain.

'Alys fach. Paid â llefen.' Un fel hyn oedd ei ffrind – llawn emosiwn byrbwyll un funud a'r funud nesa yn llawn doethineb aeddfed.

'Ond nid fi yw'r unig un sy wedi gweld dy isie di,' ychwanegodd Alys yn dawel gan sniffian a chwythu ei thrwyn yn swnllyd.

'Pwy arall sy'n gweld fy isie i, dwed? Dydw i ddim wedi clywed gair wrth yr un enaid byw ers i fi fod yma. Ond am dy negeseuon di, wrth gwrs. Diolch i ti, Alys. '

Edrychodd Alys i fyw llygaid ei ffrind cyn i'r geiriau ddechrau llifo'n bendramwnwgl ar draws ei gilydd. 'Dydi pethau ddim yn rhy dda yn y cwmni – y Siôn yna yn creu helbul ac mae rhyw gyfarfod pwysig iawn, iawn mewn ychydig ddyddie. Llew sydd wedi fy hela i draw atat ti. Mae e wedi gofyn i fi dy holi di a ddei di yn ôl gyda fi. Ma' fe wedi torri ei galon. Ma' fe fel rhyw ysbryd o amgylch y lle, ac wedi gadael i'r Siôn yma gymryd yr awenau gan nad yw e yna ryw lawer. Dyw e ddim fel 'se fe'n becso am y cwmni nac am ddim byd arall chwaith. Dere 'nôl ato fe, plis,' ymbiliodd Alys.

'Dyna pam ei fod e wedi trefnu i ti gael dy hedfan draw?'

'Ie,' oedd ateb tawel Alys.

Bu saib hir cyn iddi ateb.

'Pam na wneith e ofyn i fi ei hun? Dydw i ddim wedi clywed gair wrtho fe ers y noson honno.'

'O, paid â bod yn styfnig nawr o bob adeg,' ymbiliodd Alys. 'Mae wedi erfyn arna i i wneud yn siŵr dy fod yn dod yn ôl gyda fi. Mae e dy angen di. Ma' fe'n torri ei galon ers i ti fynd.'

'Doeddwn i ddim yn gwybod bod calon gydag e i'w thorri … ac nid fy newis i oedd mynd. Ches i ddim dewis, Alys.'

Ochneidiodd Alys. 'Wy'n gwbod. O, pam fod cariad mor ddall, gwed? Roedd pawb arall yn gallu gweld ei fod e'n dy addoli di.'

'Addoli?'

'Ie, dy addoli.'

'Pawb ond fi, ie?'

'Ie,' oedd yr ateb.

Bu saib hir arall cyn iddi godi gan ddweud, 'Dere, Alys. Mae'r gwybed yma yn fy mwyta i'n fyw. Fe gewn ni swper yn y lolfa.' Cododd y ddwy a diflannu i mewn i'r tŷ.

Bu'r ddwy'n sgwrsio'n ddi-baid wrth fwyta. Bu Alys yn adrodd helyntion ei hefeilliaid oedd bron â chyrraedd eu harddegau cynnar erbyn hyn ac yn dechrau gwrthryfela yn erbyn pawb a phopeth, gan ei hela hi a'i gŵr yn ddwl bared. Soniodd Alys ddim rhagor am Llew.

Roedd hi wedi gwneud yr hyn roedd wedi addo ei wneud ac roedd yn adnabod ei ffrind yn ddigon da i wybod nad oedd pwynt dweud mwy ar y mater hwn. Roedd wedi gwneud ei gorau.

Edrychodd Alys o amgylch y lolfa daclus ac ochneidio. Mor wahanol oedd y lle yma i'w chartre hi oedd yn llawn treinyrs drewllyd a dillad brwnt ym mhob twll a chornel. 'O, mae lle braf gyda ti yma,' mynte hi gan godi i grwydro. Sylwodd ar bentwr o lyfrau ar y bwrdd coffi.

'Ti'n cael amser i ddarllen,' meddai wrth fodio'r llyfrau. 'Wy heb ddarllen llyfr ers blynyddoedd. Hei! Wy'n cofio'r llyfre 'ma – hen lyfre coleg ydyn nhw!'

'Ie, fe ddes i â rhai ohonyn nhw draw yma gyda fi.'

Roedd Alys yn edrych arnynt bob yn un. Stopiodd. 'O, ro'n i'n dwlu ar y ddrama 'ma,' meddai gan gydio mewn un llyfr a dechrau fflicio drwy'r tudalennau. 'Hanes Llywelyn Fawr a'i wraig – roedd e lot hŷn na hi ac fe ga'th hi ffling gyda rhyw Ffrancwr oedd dipyn iau na hi.' Roedd ei ffrind yn gallu bod yn hynod o ansensitif ambell waith.

Gosododd Alys y llyfr yn ôl ar y bwrdd coffi gyda'r lleill gan esgus ymagor yn swnllyd. 'Wy'n credu ga i noson gynnar.'

Cofleidiodd y ddwy ac aeth Alys i fyny'r grisiau yn ddiolchgar am gael dianc.

Rhoddodd Alys ochenaid ddofn wrth gau drws ei stafell wely. Roedd cofio am y ddrama yna wedi ei chynhyrfu. Pam yn y byd mawr roedd hi wedi bod mor dwp â sôn am y ffling gyda'r boi ifanc 'na? Yna, o rywle yn nyfnder ei chof fe gofiodd y stori gyfan. Roedd Llywelyn Fawr dipyn hŷn na'i wraig ac fe wnaeth ei dal

ym mreichiau Ffrancwr oedd dipyn iau na hi. Roedd
Llywelyn yn lloerig ac fe wnaeth orchymyn i'r Ffrancwr
gael ei grogi ac i'w wraig gael ei charcharu. Roedd e'n ei
charu'n angerddol ond doedd hi ddim yn sylweddoli
hynny. 'Blydi hel!' ebychodd. 'Does dim yn newid yn yr
hen fyd 'ma.' Cofiodd am ryw ddywediad a glywsai gan
ei mam eto fyth. Bob tro roedd rhyw sgandal yn yr
ardal, unig sylw ei mam oedd ... ceisiodd ei gofio.
Adroddodd ef yn isel wrth iddi ddadwisgo: 'Mae chwant
y cnawd yn ... mae chwant y cnawd yn drech ... na gras
yr Ysbryd Glân.' Ie, dyna fe. Ac fe wnaeth ei ailadrodd
a'i ailadrodd wrth orwedd yn ei gwely. 'Mae chwant y
cnawd yn drech na gras yr Ysbryd Glân ...'

Ymhen ychydig clywodd sŵn ei ffrind yn dringo'r
grisiau a drws y stafell wely arall yn cau. Roedd hi'n
amlwg fod y ddwy ohonynt wedi blino ac yn barod am
eu gwelyau. Ond bu Alys yn troi a throsi am sbel ac yn
y diwedd, cododd i fynd i'r lle chwech. Roedd yn gwybod
na fedrai gysgu a phenderfynodd fynd i lawr i nôl y
ddrama yna. Roedd am ei darllen eto.

Sleifiodd i lawr y grisiau ac edrychodd am y llyfr ar
y bwrdd coffi. Doedd e ddim yno. Roedd pob llyfr arall
yno ond hwnnw. Wrth fynd yn ôl i'w llofft sylwodd fod y
golau ymlaen yn stafell wely ei ffrind.

Y bore canlynol, deffrodd Alys yn hwyrach nag arfer.
Clywodd y ffôn yn canu a rhywun yn ei ateb. Doedd hi
ddim yn siŵr ble roedd hi am funud ac yna daeth
popeth yn ôl iddi. Arhosodd o dan y cynfasau gwyn
perffaith am dipyn mwy. O, roedd hyn yn braf ... cael
llonydd i orweddian. Ond gwell codi, meddyliodd, a

gweld sut oedd y gwynt yn chwythu. Doedd hi ddim yn meddwl am eiliad ei bod wedi perswadio ei ffrind i ddod yn ôl gyda hi. Cododd i fynd i'r stafell ymolchi. Wrth gerdded heibio'r grisiau clywodd lais ei ffrind lawr staer. Roedd yn amlwg yn siarad ar y ffôn. Clustfeiniodd a deall ei bod yn siarad Cymraeg ac yn cael sgwrs ddifrifol iawn gyda rhywun. Roedd yn siarad am y cwmni yn amlwg.

Aeth Alys ar flaenau'i thraed i'r stafell ymolchi. Rhedodd fàth a bu'n socian ynddo am hydoedd gan fwynhau pob eiliad wrth geisio rhoi dau a dau at ei gilydd ... a gwneud pump yn ôl ei harfer!

Pan ddaeth allan o'r bàth lapiodd ei hun mewn tywel mawr, trwchus a moethus. Aeth allan o'r stafell ymolchi, a sylwodd fod ei ffrind yn dal ar y ffôn. Clustfeiniodd unwaith eto gan fynd i lawr sawl gris er mwyn clywed yn well. Clywodd y geiriau, 'Mae un amod.'

Saib.

'Ein bod yn ceisio dechrau teulu, Llew.'

Rhuthrodd Alys i lawr y grisiau ond baglodd yn ei brys a disgynnodd yn un swp ar y gwaelod.

'Alys, wyt ti'n iawn?' gwaeddodd ei ffrind gan redeg ati a'r ffôn yn dal yn ei llaw.

'Ydw, ydw, wy'n iawn ... nawr 'mod i'n gwybod dy fod yn dod 'nôl 'da fi.'

Clywodd y ddwy lais Llew yn holi, 'Beth uffach sy'n mynd ymlaen yna? Ydych chi'ch dwy'n iawn?'

'Ni'n berffaith iawn, Llew. Fe wna i dy ffonio 'nôl mewn munud,' meddai hi wrtho gan ddiffodd y ffôn.

Lapiodd Alys y tywel amdani unwaith eto gan edrych i fyny ar ei ffrind.

'Fe wnes i gofio rhyw ddywediad roedd Mam yn ei ddweud wrthon ni blant neithiwr,' mynte Alys.

'Ydw i wedi clywed hwn o'r blaen gen ti?' holodd hithau.

'Na, sa i'n credu. Barod?'

'Barod.'

'Mae chwant y cnawd yn drech na gras yr Ysbryd Glân,' mynte Alys.

A chwarddodd y ddwy yn afreolus.

Roedd yn ddiwedd y pnawn ac roedd Llew allan yn yr ardd yn cerdded yn ôl ac ymlaen yn anniddig, pan welodd dacsi yn stopio wrth y dreif. Ddaeth neb allan am sbel. Yna, agorodd un o'r drysau ôl a gwelodd y ddwy yn dod allan. Gwelodd Alys yn estyn cês bach allan o'r sedd gefn a'i roi i'w wraig, a'r ddwy'n cofleidio cyn i Alys neidio yn ôl i mewn i'r car. Fe aeth Llew i mewn i'r tŷ yn frysiog heb sylwi nad oedd y tacsi wedi gyrru i ffwrdd.

Gwyliodd Alys ei ffrind yn cerdded yn osgeiddig i fyny'r dreif tuag at y tŷ ac yn gollwng ei chês er mwyn canu'r gloch. Yna gwelodd Llew yn agor y drws cyn iddi gael cyfle i'w chanu.

Roedd yntau mor olygus ag erioed. Diolch byth, meddyliodd Alys, gan gofio'r olwg flêr oedd arno pan fu'n erfyn arni i berswadio ei wraig i ddod yn ôl ato. Gwisgai grys denim meddal glas oedd yn adlewyrchu lliw ei lygaid. Roedd ei wallt tywyll oedd wedi dechrau britho wedi ei dorri ac roedd yn gweddu iddo. Gwyliodd Alys ef yn sefyll yn stond yn edrych ar ei wraig gydag edmygedd pur, ac roedd yn hollol amlwg ei fod eisiau ei chofleidio'n ddidrugaredd. Yn lle hynny, cydiodd yn ei chês a gwnaeth arwydd arni i ddod i mewn i'w cartref.

'Blydi hel! Na,' sibrydodd Alys. 'Cydia ynddi, cusana hi, jyst gwna rywbeth i ddangos faint rwyt ti'n ei charu hi.'

Fel pe bai wedi ei chlywed gwelodd ef yn rhoi y cês i lawr yn sydyn, gan estyn un llaw allan a chyffwrdd boch ei wraig yn dyner. Edrychodd y ddau i fyw llygaid ei gilydd. Cyffyrddodd hi ei law yntau a'i chyffyrddiad hithau yn ennyn cryndod trwy'i gorff. Lapiodd ei freichiau amdani'n dynn.

Gydag ochenaid o ryddhad, rhoddodd Alys orchymyn i'r dyn tacsi yrru i ffwrdd.

Blodau sidan

una *storia di amore e di arsenico*

Tony Bianchi

'Peis a phryfed, pryfed a pheis. Maen nhw'n llosgi'r llyged ac yn … ac yn …'

Roedd Tomos Beynon yn eistedd yn ei barlwr, yn bwyta'i fara llaeth, yn goddef y gwres. Roedd y wal y tu ôl iddo megis crwstyn poeth a doedd hynny ddim yn syndod oherwydd dyna lle'r oedd y ffwrn. Ymhen hanner awr byddai'r pasteiod i gyd yn barod, y cig dafad, y cig llo, y stêc a 'lwlod, a hefyd – ar gyfer yr archebion arbennig – y pasteiod fenswn a'r *pasticcio di lepre*.

'Peis a phryfed, pryfed a pheis. Maen nhw'n llosgi'r llyged ac yn …'

Roedd yr aer ym mharlwr Tomos yn debyg i sachau hesian, a'r rheini'n llawn llwch a pharddu ac anadliadau blinedig pum cenhedlaeth o Feynons.

'Maen nhw'n llosgi'r llyged ac yn … ac yn …'

Clywodd Tomos y gwas yn cael y basgedi'n barod yn y stafell nesaf, gan chwibanu rhyw alaw fywiog. Clywodd Sam Cole y prentis yn melltithio'r pot pupur oedd newydd gwympo ar y llawr.

'Yn llosgi'r llyged ac yn … ac yn …'

Cododd Tomos ar ei draed a'i sadio'i hun. Plethodd ei fysedd dros ei fola a becial. Becial dwfn, iachusol. Wrth deimlo ffrwydrad arall yn ymffurfio, yna'n ystyfnigo, gwasgodd ei ddwy ystlys. Beciodd drachefn. Yna, cerddodd at y drws a'i agor, gan obeithio y deuai awel ffres i sychu ei dalcen a'i geseiliau. Ond doedd yr awelon ddim wedi codi eto. Yn eu lle, daeth haid o bryfed.

'Pryfed a pheis, *blast your eyes!*' gwaeddodd Tomos.

Yna, dychwelodd at ei frecwast, oherwydd beth arall oedd i'w wneud?

Wrth gnoi, cuddiai Tomos y bowlen gyda'i ddwy law. Ond creadur penderfynol yw pryfyn. O fewn eiliadau, roedd un ohonynt wedi glanio ar ei arddwrn. Ysgydwodd Tomos ei law. Cododd y pryfyn ac ailymuno â'i gyfeillion ar y bwrdd. Yna, wedi arogli melyster y bwyd, daeth un arall o'r haid a glanio ar ei wefus isaf. Ysgydwodd Tomos ei ben. Crynodd adenydd y pryfyn, ond daliodd ei dir. A chan nad oedd gan Tomos ddim byd arall i'w ysgwyd, fe boerodd gynnwys ei geg ar draws y llawr, yn rhaeadr fawr o laeth a bara. Meddiannwyd pob tamaid ar unwaith. Gwyrodd Tomos ymlaen a siglo'i fys. 'Pam fan hyn, y jawled bach? E? Pam fan hyn, pan mae gyda chi fynydd o offal i'w fwyta drws nesa?'

Aeth i nôl bwced a mop, gan fwmial dan ei anadl, 'Beth yw bywyd – ei hyd a'i led – ond pryfed a pheis, peis a phryfed?!'

'Bore da, Mrs Phillips.'
'Bore da, Mr Beynon.'
'Dydd da, Mr Price.'
'Dydd da i chithau, Mr Beynon.'

Am saith o'r gloch roedd Tomos Beynon yn sefyll wrth ddrws ei siop, yn cyfarch ei gymdogion, yn mwynhau cegaid o wynt ar ôl y gwres mawr. Funud yn ddiweddarach, daeth Mr Blackett y cigydd allan a hongian pennau dau fochyn uwchben ffenest ei siop.

'Sut mae'r hwyl, Harold?' meddai Tomos, yn ôl ei arfer.

'Bore da i chi, Tomos,' meddai'r cigydd, yn ôl ei arfer yntau. 'Bore braf hefyd.'

'Mm,' meddai Tomos. 'Falle na fydde'ch ffrindie chi'n cyd-fynd.'

''N ffrindie i?'

Nodiodd Tomos ei ben i gyfeiriad y moch. 'Pan ddeith yr haul rownd a'u twymo nhw lan.'

'Ha!' meddai Harold Blackett. 'Peidiwch â becso, Tomos bach. Bydd yr haul yn arbed tipyn o waith crasu i chi. Arbed glo hefyd.'

Roedd Tomos yn gwybod bod Harold yn tynnu ei goes. A byddai wedi hoffi dweud wrtho yn blwmp ac yn blaen nad testun chwerthin oedd y mynyddoedd offal a lenwai ei iard gefn a'r creaduriaid budron a drigai yno. A'r pryfed wedyn! Wel, am bryfed! Ond pwyll oedd piau hi. Rhaid i basteiwr gadw ar delerau da â'i gigydd, yn enwedig pan fo'r cigydd hwnnw'n gymydog. Peth trafferthus ar y naw fyddai gorfod mynd at gigydd arall. Peth costus hefyd. A beth bynnag, doedd gan Tomos ddim gwir ddiddordeb yn y moch heddiw, na hyd yn oed yn y pryfed. Y rheswm roedd Tomos yn treulio mwy o amser nag arfer wrth ddrws ei siop oedd er mwyn cadw golwg ar ochr arall y stryd oherwydd yno safai siop yr hetiwr, Nino Semprini. Yn unol â'r drefn bob dydd Mercher, roedd gan Tomos ddau *pasticcio di lepre* yn barod i'w rhoi i Mrs Semprini. Ond yr oedd ganddo hefyd fater o bwys y dymunai'i drafod gyda'r gŵr bonheddig ei hun.

Tynnodd Tomos facyn o'i boced a chwythu'i drwyn. Ie, rhaid arfer pwyll. Cymydog oedd Harold Blackett. Fe hefyd oedd yn darparu'r cig ar gyfer ei basteiod. Ond yn anad dim, fe oedd tad Agnes, y fenyw ifanc roedd Tomos yn dymuno prynu het iddi, yn arwydd o'i deimladau cariadus. Doedd Harold Blackett ddim yn gwybod am y teimladau hynny, wrth gwrs, a phetasai'n gwybod, byddai wedi anghymeradwyo'n ffyrnig. Er bod pasteiwr yn gallu bod yn gwsmer penigamp a hyd yn oed yn gymydog derbyniol, yn y bôn, a heb falu awyr, stwffio peis a'u crasu oedd priod waith Tomos Beynon a'i sort. 'Ti a gei ladd a bwyta cig yn dy holl byrth,' meddai'r Beibl, a hynny am fod y cigydd yn rhodio gyda'r Arglwydd. Ond doedd yr Arglwydd, hyd y gwyddai Harold Blackett, ddim wedi cyfeirio at basteiod erioed, boed y tu mewn i'r pyrth na'r tu allan.

Roedd yna reswm arall hefyd – rheswm mwy delicet – pam nad oedd Tomos yn dymuno tynnu blewyn o drwyn neb yng nghartref y Blacketts heddiw. A'r rheswm hwnnw oedd y ffaith nad oedd Tomos eto wedi argyhoeddi Agnes fod ganddo'r rhinweddau personol i wneud iawn am ei radd isel yn y gymdeithas. Pa rinweddau? Wel, a bod yn fanwl ac yn ddiflewyn-ar-dafod, nid oedd hi eto wedi derbyn tystiolaeth bod Tomos yn meddu ar fesur digonol o'r hyn y byddai hi'n ei alw'n 'nerth cudd y dyn cyflawn'. I'r gwrthwyneb. A'i dweud hi'n blwmp ac yn blaen, roedd hi wedi gweld â'i llygaid ei hun fod *arbor vitae* Tomos Beynon yn dra diffygiol, nid dim ond o ran ei gadernid ond hefyd o ran ei wytnwch. Roedd ei borc yn ddiasgwrn. Ac er y gallai diffyg asgwrn fod yn dderbyniol ymysg pasteiwyr, yr oedd yn sarhad ar urddas cigydd a'i ferch fel ei gilydd.

Wedi pum munud o sefyll a gwylio, gwelodd Tomos Mr Semprini yn dod i ddrws ei siop a ffarwelio â dau gwsmer. Cafodd gysur o'r ffaith bod y cwsmeriaid hyn yn gwisgo dillad galar. Siawns na fyddai'r hetiwr yn croesawu ychydig o ymddiddan llai angladdol. Gwisgodd Tomos ei got a'i het, siarsiodd Master Cole i ofalu am y ffwrn, ac aeth allan i'r stryd. Cerddodd i'r pen pellaf, a hynny gyda rhyw ddihidrwydd penderfynol yn ei osgo. A dim ond wedi cyrraedd y man hwnnw y mentrodd groesi i'r ochr arall a cherdded yn ôl i gyfeiriad y siopau. Taflodd gipolwg trwy gysgod ei het i'w fodloni'i hun nad oedd neb yn ei wylio o'r ochr draw. Llygaid dall y ddau fochyn yn unig a edrychai'n ôl arno. Yna gwyrodd ei ben a chamu i mewn i siop N. ac M. Semprini a'u Mab.

'Dydd da, Mr Beynon.'

'Dydd da, Mrs Semprini.' Cochodd Tomos wrth weld cymaint o hetiau merched. Cochodd hefyd oherwydd byddai wedi bod yn well ganddo siarad â dyn ynglŷn â materion o'r fath. Cliriodd ei lwnc. 'Dyma chi, Mrs Semprini. Eich *pasticcio di lepre*.' Estynnodd hambwrdd iddi, ac arno ddwy bastai fawr gron.

'A phob asgwrn wedi'i dynnu, Mr Beynon?'

'Pob un, Mrs Semprini. Yn ôl ein harfer.' Cochodd eto.

Cymerodd Mrs Semprini'r hambwrdd. 'Diolch i chi, Mr Beynon. Af i â nhw'n ôl i'r cefn ar unwaith ... Oni bai bod rhywbeth arall ...?'

'Wel, erbyn meddwl, Mrs Semprini, oes, mae 'na un peth arall yr hoffwn ei drafod gyda chi.' Aeth Tomos ymlaen, yn betrus ddigon, gan fesur pob gair. 'Dwi isie prynu un o'ch hetiau chi. Nid i fi, cofiwch, ond i hen ffrind. Fyddech chi ddim yn ei nabod e. Mae e'n byw yn bell o fan hyn, 'chwel. Ar lan y môr. Ta beth, byddai fy hen ffrind yn hoffi prynu bonet i'w chwaer. Ac rwy'n gwybod beth y'ch chi'n mynd i 'ddweud nesaf, Mrs Semprini – Wel, pam nad yw'r cyfaill dan sylw yn prynu'r bonet gan ryw hetiwr lle mae e'n byw, draw fan'co, ar lan y môr? Siawns nad yw boneti a hetiau a chyfryw bethau wedi cyrraedd y mannau hynny bellach. Ha! Wel, ysywaeth, Mrs Semprini, mae 'na hanes trist y tu ôl i hyn i gyd. Ydych chi'n cofio darllen am Frwydr Ferozeshah? Ydych? Wel, 'na fe, 'te. Roedd fy nghyfaill yn ymladd yno, yn ceisio tawelu'r hen Akalis. A dyna hen bobl wallgo yw'r Akalis. Ie, ar fy llw. Ond bid a fo am hynny, cafodd fy ffrind ei ddallu ac erbyn hyn mae e'n methu gweld y gwahaniaeth rhwng bonet a sgwarnog. Druan ag e. Nawr 'te, mae ei chwaer oddeutu saith ar hugain mlwydd oed ac yn ddigon cadwrus o ran ei chorff, os y'ch chi'n deall beth sydd gen i. Go debyg yw ei phen hefyd. Ie. A dyna pam bod angen rhywbeth gweddol hael o gwmpas y clustiau. Dyw fy ffrind ddim yn dymuno bod yn grintachlyd o gwbl yn y cyswllt hwnnw. Mewn gair, Mrs Semprini, rwy'n chwilio am fonet. Am fonet godidog.'

Nodiodd Mrs Semprini ei dealltwriaeth. Yna trodd at y silff y tu ôl iddi a thynnu i lawr y Lucretia, sef penwisg gain a wnaed o felfed du a'i haddurno gyda blodau sidan cymysg. Trodd wedyn at y Gallotti. Sidan oedd hon yn ei chrynswth, heblaw am y les ddu ar hyd yr ymylon. Dangosodd y Lamelle iddo hefyd, a'r Catalone, ac eraill, gan dynnu'i sylw at briod nodweddion pob un. Cyn bo hir, roedd deuddeg eitem wedi'u taenu dros y cownter.

'Yn bwysicach na dim,' meddai Mrs Semprini, 'rhaid i het boneddiges dynnu'r llygaid at agweddau mwyaf urddasol ei hwyneb.'

Ystyriodd Tomos y wireb hon. Gwnaeth lun yn ei feddwl o wynepryd Agnes a cheisio gwthio'r llun hwnnw i mewn i bob un o'r deuddeg bonet a safai o'i flaen. Doedd hi ddim yn dasg hawdd. Er mwyn gwneud cymhariaeth deg, roedd rhaid iddo ddychmygu deuddeg Agnes a gwthio'u pennau i'r hetiau'r un pryd a'u cadw yno. Yn y diwedd – a hynny oherwydd bod dwy fenyw ifanc newydd gerdded i mewn i'r siop ac roedd Tomos yn sicr y bydden nhw'n mynd â'u sibrwd a'u piffian i siopau eraill yn y man, ac yn fwyaf penodol, i siop y cigydd – bodlonodd ar fonet cantel glas, wedi'i addurno â rhosod sidan a dail. Oedd, roedd yn ymdebygu i sgytl glo o ran ei siâp a byddai, fwy na thebyg, yn bwrw cysgod dros y cyfan o nodweddion ei annwyl Agnes, yr urddasol a'r diurddas fel ei gilydd – ond roedd rhaid dewis rhywbeth, a hynny ar frys.

'Allwch chi ei hala fe draw?' meddai Tomos, mewn islais.

'Gallaf, wrth gwrs, Mr Beynon,' meddai Mrs Semprini, yn ei hislais hithau a oedd, i glustiau Tomos, yn swnio braidd yn ddirmygus.

'Wedi'i lapio?'

'Mewn papur sidan, Mr Beynon. A phapur llwyd hefyd, wrth gwrs. Y sidan i lapio'r bonet a'r papur llwyd i lapio'r ddau. O fewn yr awr, Mr Beynon.'

Eisteddai Tomos Beynon yn ei barlwr. Yn ei law dde roedd hanner pastai cig dafad. Defnyddiai ei law chwith i gadw'r pryfed bant. 'Pryfed a pheis – Wel, dyna syrpréis!' Cymerodd hansh o'r pei a'i gnoi'n fyfyrgar. Penderfynodd fod gormod o halen ynddo. A doedd dim digon o shibwns. Cymerodd hansh arall. Torrodd y bastai yn ei hanner. A doedd Master Cole ddim wedi defnyddio digon o fenyn i selio'r crwst. Byddai'n rhaid iddo gael gair ag e.

Wedi bwyta'r bastai, trodd Tomos ei sylw at y pecyn ar y bwrdd. Roedd papur llwyd, meddyliai, yn ddefnydd digon pwrpasol ar gyfer cyfnewid masnachol. Ar y llaw arall, roedd e'n brin o'r nodweddion personol hynny a ddylai fod yn rhan annatod o'r fath anrheg. Byddai'n rhaid iddo gael hyd i rywbeth mwy benywaidd, mwy tyner, rhywbeth nad oedd yn sawru gymaint o fyd y ddafad a'r mochyn. Llyodd ddarnau olaf y crwst oddi ar ei fysedd. Sychodd ei ddwylo ar ei ffedog. Ac aeth i ymofyn y siswrn.

Eiliadau'n ddiweddarach roedd y bonet cantel yn sefyll yn noethlymun ar fwrdd y parlwr, a'r ddau ruban yn ymestyn bob ochr iddo. Safai Tomos gyferbyn ag ef, gan rwbio'i ên a cheisio penderfynu pa liw papur a fyddai fwyaf cydnaws nid dim ond â'r felfed glas ond hefyd â'r rhosod coch a'r dail gwyrdd. Daeth i'r casgliad mai'r peth hawsaf – a'r peth doethaf hefyd – fyddai ail-lapio'r bonet yn y papur llwyd a gadael i'r het siarad drosti hi ei hun. Yn wir, roedd ar fin gwneud yr union beth hwnnw pan laniodd pryfyn ar un o'r dail. Rhoddodd Tomos fflic iddo â chefn ei law. Ond dychwelodd yn ddi-oed. A'r tro hwn daeth ffrind gydag ef. Gwylltiodd Tomos wrth weld y bonet newydd yn cael ei halogi gyda'r fath ddihidrwydd. Tynnodd ei ffedog a gwneud clwtyn clatsio ohoni. Ond daliodd yn ôl wedyn, gan ofni y byddai rhai o'r blodau'n cael eu difrodi neu – yn waeth byth – y byddai pryfyn yn cael ei ladd ac yn gwaedu dros y sidan. Ie, du oedd ei liw allanol, ond beth am ei waed, ei ymysgaroedd, ei galon? Pa liwiau llachar a lifai o'r corff drylliedig wedyn i ddifwyno purdeb y bonet?

Wrth iddo sefyll, a'i fraich yn yr awyr, yn barod i daro, daeth tri phryfyn arall i mewn a glanio ar gorun y bonet. Daeth carfan arall yn fuan wedyn, ac yna eu modrybedd a'u hewythrod, eu hwyrion a'u cefndryd. Ymhen dim, roedd pob petal a deilen yn plygu dan bwysau'r ymwelwyr newydd. 'Pryfed a phryfed. Dim ond pryfed a phryfed!' Cododd Tomos ei ffedog a'i fflicio'r ffordd hyn a'r ffordd arall. Chymerodd y pryfed ddim sylw. Cydiodd Tomos yn y bonet â'i ddwy law a rhoi siglad iddo. Daliodd y pryfed eu gafael, bob un. Cydiodd yn dynn yn y ddau ruban a chwyrlïo'r bonet uwch ei ben. Gwelodd gwmwl bach du yn ymffurfio yn yr awyr. Cyn gynted ag y darfu'r chwyrlïo, dychwelodd pob pryfyn i'w hafan deg.

Ar drothwy anobaith, a hefyd, erbyn hyn, yn dioddef pwl cas o losg cylla ar ôl llowcio'i bastai, brysiodd Tomos Beynon i'r gegin a llyncu dwy lwyaid o Dr Browne's Mixture. Beciodd. Cymerodd ddos arall. Tra oedd y moddion yn gwneud ei waith, dyfeisiodd Tomos gynllun. Er mwyn gwaredu'r bonet rhag y goresgyniad ffiaidd hwn, byddai'n rhaid cynnig atynfa amgenach. Yn ôl pob golwg, roedd gan y pryfed hyn chwaeth fwy dethol na'r mwyafrif o'u rhywogaeth. Gwell ganddynt gegin pasteiwr na iard cigydd. Gwell ganddynt flodau sidan nag offal. Ac os felly, oni fyddai pastai o'r ansawdd gorau yn plesio hefyd? Ond pa fath o bastai? Beth fyddai at eu dant nhw, tybed? Rhywbeth melys? Neu rywbeth hallt?

Aeth Tomos at y ffwrn. Cododd glawr un o'r sosbannau a chymryd llond cwpan o'i chynnwys. Llenwyd yr aer ag aroglau sinamon, nytmeg a brandi. 'Melys amdani!' meddai. Dychwelodd i'r parlwr a gosod y cwpan ar ganol y llawr. Unwaith eto, chymerodd y pryfed ddim sylw. 'Dewch 'mlaen, bois,' meddai Tomos. 'Mae gwledd i chi fan hyn.' Aeth ar ei benliniau wedyn a gwyro'i ben dros y soser. 'Mmmm,' meddai. Bachodd damaid o'r gymysgedd â'i fys a'i godi i'w drwyn. 'Mmmm,' meddai eto. Yna rhoddodd y tamaid persawrus yn ei geg a'i fwytho'n dyner gyda'i dafod. 'Mmmm.' Arhosodd y pryfed yn eu hunfan. A pha syndod? meddyliai Tomos. Oherwydd pwy yn ei iawn bwyll fyddai'n bwyta'i bwdin o flaen ei ginio?

Aeth Tomos i'r siop a gofyn i Master Cole am bastai cig dafad, ac iddo sicrhau nad oedd hon yn rhy boeth nac ychwaith yn rhy oer, ond yn hytrach yn gymedrol o dwym, os gwelai fod yn dda. Ond cyn gynted ag y daethai'r geiriau o'i geg, fe newidiodd ei feddwl. 'Nage, nage, y stêc a 'lwlod ro'n i'n 'feddwl.' Ac eto: 'Nage, y gwningen. Ie, yn bendant, y gwningen.' Yn y diwedd, a chan ryfeddu at ei afradlonrwydd ei hun, dewisodd Tomos y bastai fenswn, am mai honno oedd piau'r aroglau cryfaf ar y fwydlen heddiw. A siawns nad trwy'r trwyn yr oedd fwyaf tebygol o dynnu'r pryfed o'u difaterwch.

Dychwelodd Tomos i'w barlwr a'r bastai yn ei law. I ddechrau, cafodd ryddhad o weld bod y torfeydd ar y bonet wedi teneuo ryw ychydig. Ai arwydd oedd hynny, tybed, bod y cythreuliaid bach wedi colli blas ar y blodau sidan? Os felly, meddyliai Tomos, efallai na fyddai'n gorfod gwastraffu'r bastai fenswn wedi'r cyfan. Ond yna crwydrodd ei lygaid o'r bonet at y bwrdd, yna o'r bwrdd at y llawr wrth ei draed, ac yna at yr antimacasar ar y gadair esmwyth lle bu'n eistedd cynt. Ac fe'i syfrdanwyd. Roedd pob un o'r lleoedd hyn bellach yn pyngad gan bryfed. Gwyrodd Tomos ei ben ac edrych yn fwy manwl ar yr antimacasar. Ac fe'i syfrdanwyd eto, oherwydd yno, ychydig fodfeddi o'i wyneb, roedd cannoedd o'r creaduriaid bach yn cnychu'i gilydd, a hynny gydag angerdd a brwdfrydedd na welsai Tomos erioed o'r blaen, gan gydio a gwthio, gwthio a chydio, fel petai einioes pob un yn y fantol. Aeth at y bwrdd a darganfod yr un sioe o drachwant dilyffethair. Cymerodd chwyddwydr o ddrâr y seld a dychwelyd at y bwrdd. Craffodd ar gwpl o newydd-ddyfodiaid. Roedd y gwryw yn anwylo'r fenyw, fel petai'n ei chysuro, yn ei sicrhau bod popeth fel y dylai fod, mai gŵr bonheddig ydoedd, a'i fod yn gwybod beth oedd beth ym maes cnychu. Fflapiodd hithau ei hadenydd gyda sêl gynyddol nes bod y ddau'n ddim ond smwtsh fach aneglur.

Trodd Tomos yn ôl at y bonet. Roedd y pryfed a fu'n ymgynnull yn y fan honno, yn ôl pob golwg, wedi cael cnychad boddhaol a bellach roedden nhw'n mwynhau cwtsh bach ôl-gyfathrachol. Wel, wel, meddyliai Tomos, dyna rywbeth arall dwi ddim wedi'i weld o'r blaen, ddim hyd yn oed ymhlith y cŵn a'r defaid. Roedd ei atgasedd wedi cilio erbyn hyn ac yn ei le dechreuodd deimlo rhywfaint o barch tuag at y cariadon penderfynol. Ie, meddyliai, mae'r rhain yn disgwyl yn eithaf swynol yn eu gwelyau bach sidan. Yna, wrth daflu golwg arall o gwmpas y stafell, fe dyfodd y parch hwnnw'n edmygedd, ac yna'n rhyfeddod, oherwydd yma, yn ei barlwr bach di-nod, yr oedd Tomos Beynon, y pasteiwr, yn dyst i ffrwythlondeb anorchfygol Natur ei hun.

Ddeng munud yn ddiweddarach, roedd y pryfed yn dal i orwedd yn hedd eu dedwyddwch. Gwyrodd Tomos dros yr het a rhoi pwt i un o'r cyplau llonydd. Gwelodd blwc bach yng nghoesau'r naill. Hanner agorodd adain chwith y llall. Yna, gydag ewin ei fys, ffliciodd Tomos y ddeilen lle gorweddent. Syrthiodd y pryfed i'r bwrdd. Bob yn ddau, gwnaeth yr un peth gyda'r pryfed eraill oedd wedi gwladychu'r het, nes bod y blodau a'r dail yn sgleinio eto yn eu diniweidrwydd difrycheulyd.

Safodd Tomos yn ôl a chroesi'i freichiau. Llon-gyfarchodd ei hun ar ei lwyddiant. A'r fath lwyddiant hefyd, heb wastraffu'r un tamaid o gig! Byddai'n mofyn brws a phadell yn y man ac ysgubo'r cythreuliaid bach i ebargofiant. A diau y byddai wedi gwneud hynny'n ddi-oed oni bai am ddau beth. Yn gyntaf, roedd llais bach yn ei ben yn ei rybuddio mai seibiant dros dro yn unig oedd y llesgedd hwn, mae'n debyg, ac y byddai'r pryfed yn dihuno yn y man ac yn troi'n bla unwaith eto. Ar yr un pryd, clywodd lais arall, a hwnnw'n codi, nid o'i ben, ond yn hytrach o rywle dwfn yn ei ymysgaroedd. Eitha reit, Tomos bach, meddai'r llais hwnnw, mae 'da ti bresant diguro f'yna. *Très soignée*, a dim whare. Bydd Agnes wrth ei bodd. Ond pwy, meddai wedyn, *PWY* na fyddai'n trwco llond whilber o sidan pert am gwpwl o funudau yn sgidie'r pryfyn 'na, a'i fola'n hwpo'n ôl a 'mla'n, 'nôl a 'mla'n, a'i wejen yn gweiddi mas am fwy.

Ac felly, pan glywodd Tomos y llais hwnnw'n ei siarsio i archwilio un o'r dail ffug er mwyn canfod beth yn union oedd wedi tanio chwantau'r pryfed, dyna a wnaeth. Daliodd ddeilen rhwng bys a bawd a'i rhwto'n ysgafn. Ystyriodd y staen gwyrdd a adawodd ar ei groen. Cododd y bys at ei drwyn. Ond doedd e ddim callach. Pendronodd am funud. Ond gwyddai eisoes nad oedd dim amdani ond rhoi cynnig ar y tafod. Rhoddodd flaen ei fys yn ei geg a'i sugno. Ac am fod y bys yn wyrdd, disgwyliai i'r blas fod yn wyrdd hefyd: rhywbeth tebyg i gabaets, efallai, neu shibwns. Ond doedd dim blas i'w glywed. Gan ofni bod y bastai hallt a gafodd i ginio wedi pylu ei synhwyrau, tynnodd ei fys ar draws deilen arall. Ac yna un o'r petalau. Ac un arall. Deilen a phetal, petal a deilen, y ffordd hyn a'r ffordd arall, lan a lawr, yn ôl ac ymlaen. A'r tro hwn, sacodd y bys cyfan i'w geg a sugno'n galed.

A blasu dim.

Dim oll.

'Hm,' meddai Tomos, wrth sylweddoli nad oedd y tafod, o reidrwydd, yn fwy haeddiannol o'i sylw na'r llygad a'r trwyn. Nid y blas oedd wedi rhoi nerth i'r pryfed, wedi'r cyfan. Rhan o wisg rhywbeth oedd blas, nid y peth ei hun.

Eisteddodd Tomos wrth y bwrdd. Gafaelodd yn yr het â'i ddwy law a'i chodi i'w geg. Cymerodd anadl ddofn. Yna aeth ati i lyo pob deilen a phob blodyn yn ei dro, y bach a'r mawr fel ei gilydd, y blaen a'r cefn, a hyd yn oed y coesynnau. I ddechrau, llyodd fel dyn oedd yn ceisio mesur hyd ei dafod, gan gynnig rhyw bwniadau bach petrus. Yna bu'n debycach i ddyn oedd yn ceisio llyo'r sglein oddi ar grwstyn pastai cig llo: yn frwd ond yn gynnil, gan barchu rheolau cwrteisi. Yn y diwedd, trodd y llyo'n llowcio gwyllt. A phetai rhywun wedi cerdded heibio'r funud honno, siawns na fyddai wedi meddwl, Wel, pwy yw'r dyn od 'na sy'n ceisio llyncu bwnsiaid o rosynnau, y drain a'r cwbl!

Wedi llyo digon, aeth Tomos at y drych uwchben y tân ac archwilio'i dafod. Roedd yn dda ganddo ddarganfod bod hwn bellach yn ymdebygu i ddeilen ei hun, un werdd, a honno wedi'i gosod yn chwaethus iawn ynghanol tusw o flodau coch. Yn bwysicach na dim, tystiai'r gwyrddni hwn – y gwyrddni gweladwy – i wyrddni helaethach na ellid mo'i weld ond a oedd, yn sicr, yn prysur ymdreiddio trwy ei gorff cyfan.

Eisteddodd Tomos yn llonydd am sbel, a'i lygaid ar gau, gan geisio dilyn llwch y blodau ar ei daith trwy ei gorff. Ni theimlodd ddim heblaw ychydig o ddiffyg traul a thwtsh bach o wynegon yn ei ben-glin. Dyfnhaodd ei amheuon. Pa newid, yn union, oedd i'w ddisgwyl? A sut fyddai'n gwybod bod y newid hwnnw wedi digwydd? A fyddai'n teimlo plwc bach yn ei wialen, tybed? Rhyw gryndod yn ei geilliau? Eisteddai'n llonydd, a'i feddwl ar ei afl, gan ddisgwyl curiad cyntaf ei fywyd newydd. Bu rhwng dau feddwl wedyn p'un a fyddai peint o'r cwrw gorau yn ei helpu ar ei ffordd, ynte a fyddai, fel arall, yn ei gloffi a'i flino. Gofidiai am beth fyddai'n digwydd pan gwrddai'r llwch â'r bastai yn ei stumog. Sut y byddai llwch sidan yn dygymod â'r halen a'r pupur a'r shibwns? A fyddai'n pasio trwyddynt heb fod neb yn ei weld na'i adnabod, ynghudd yn ei gragen o grwst? Yn fwy na dim, pryderai Tomos ynglŷn â faint o amser a gymerai'r llwch i gwblhau ei daith. Roedd wedi profi â'i lygaid ei hun mai ychydig funudau o lyo dyfal oedd eu hangen i roi nerth i bryfyn. Ond beth am ddyn? Ceisiodd Tomos weithio allan faint yn fwy na phryfyn yr oedd y corff dynol. Daliodd ei ddwylo o'i flaen. Ugain pryfyn ar gyfer pob bys? O'i luosi wedyn byddai hynny'n gwneud cyfanswm o ddau gant o'r diawliaid bach cyn iddo ddechrau ar y cledrau. Heb sôn am ei freichiau. A'i goesau. A phob rhan arall o'i gorff.

Wrth feddwl felly am faintioli dyn o'i gymharu â phryfyn, cafodd Tomos bwl o arswyd. Os oedd ei ddeg bys yn gyfystyr â dau gant o bryfed, yna roedd yr ychydig ddail a blodau roedd e wedi'u llyo yn gwbl annigonol. Yn chwerthinllyd o annigonol. Yn dda i ddim byd.

Am naw o'r gloch y bore rhoddodd Tomos ei lwyth cyntaf o basteiod melys yn y ffwrn. Yna gadawodd y cyfan yng ngofal Sam Cole a dychwelyd i siop yr hetiwr. Roedd yn falch o weld mai Mr Semprini oedd ar ddyletswydd y tro hwn. 'Mae angen ... Mae angen ...'

'Mae angen ...?'

'Blodau, Mr Semprini. Mae angen blodau arna i. Blodau a dail. I addurno'r ffenestri 'co.' Nodiodd Tomos ei ben i gyfeiriad ei siop ei hun. 'Y math o flodau 'na y'ch chi'n 'rhoi ar hetiau'r ledis. Chi'n gwybod beth sy 'da fi, Mr Semprini?'

'Blodau sidan, Mr Beynon?'

'Yn gwmws. A falle bo' chi'n gofyn i chi eich hun, I beth mae dyn peis isie prynu blodau sidan? Sy'n gwestiwn teg. Wel, fe weda i wrthoch chi, Mr Semprini.

Fe weda i'n blwmp ac yn blaen. Fel y'ch chi'n gwbod, mae'r ledis yn gwisgo hetiau pert er mwyn fframo'u hwynebau pert. Blodyn wrth ochr blodyn, gallech chi weud. Nawr 'te, sa i'n gweud bod pei yr un peth â wyneb menyw. Nag 'dw, wir. Ddim bob tro, ta beth. Serch 'ny, mae 'da pei ei bertrwydd ei hun. O gael ei grasu'n iawn, wrth gwrs. O gael sglein y menyn ar y crwst. Ac yn fy marn i, mae'n haeddu cael ei fframo'r un peth ag wyneb ledi. Beth yw eich barn chi ar y mater, Mr Semprini?'

Cododd Nino Semprini ei ddwy law. 'Syniad penigamp, Mr Beynon. Penigamp. Alla i ddim meddwl am syniad gwell. Bydd Carmena, ein merch flodau, yn galw heibio yn y man. Gallith hi mofyn eich blodau ar unwaith.'

'A'r dail?'

'Y dail gorau tu fas i Ardd Eden, gyfaill. Achos y Scheele's Green, chi'n gweld. Bydd y Scheele's Green yn sgleinio arnyn nhw fel 'se'r gwanwyn newydd dorri. Oes 'da chi ryw nifer mewn golwg?'

'Oes, wir, Mr Semprini.' Camodd Tomos ymlaen a gwyro'i ben nes bod ei wefusau o fewn modfedd i glust chwith yr hetiwr. 'Meddwl o'n i ... Yn fras iawn, cofiwch ... Meddwl o'n i, tybed a fyddai pedwar gros yn ddigon?'

Cododd Tomos ei law a ffugio osgo didaro. 'Digon i bara, 'chwel. A 'bach o amrywiaeth hefyd. Blodau gwahanol. Lliwiau gwahanol. Achos mae'r cig dafad a'r cig llo mor wahanol i'w gilydd ag yw'r rhosyn a'r ... y rhosyn a'r ... Maddeuwch i mi, Mr Semprini, dyn peis ydw i, ddim dyn hetiau.'

Ac os oedd Nino Semprini wedi'i syfrdanu braidd gan faint yr archeb, yn ogystal â'i natur, ni ddangosodd hynny. Gwyddai fod byd pasteiwr yn troi ar echel wahanol iawn i fyd hetiwr.

'Pedwar gros, Mr Beynon. I'r dim.'

Pan gyrhaeddodd Carmena siop Tomos Beynon ben bore trannoeth, a'r ail gros o flodau sidan yn saff yn ei chwdyn, fe welodd Sam Cole yn sefyll y tu allan.

'Wy'n ffaelu cael ateb,' meddai'r prentis.

Edrychodd Carmena trwy'r ffenest. 'Oes 'da chi allwedd?'

Ysgydwodd Sam Cole ei ben. 'Bydd Mr Beynon wastad wrth ei waith erbyn hyn. Mae isie cael y ffwrn yn barod. Mae isie llanw'r peis. Mae isie ...'

Roedd Carmena'n dechrau colli amynedd erbyn hyn. 'Mae gen i gwsmeriaid eraill, 'chwel ...' Felly hefyd rai ymhlith y dorf fechan oedd wedi ymffurfio y tu allan i'r siop ac yn awyddus i brynu deunydd brecwast neu ginio.

'Nag oes peis i gael heddi, 'te?' meddai un o'r rhain, perchennog y Black Lion ym mhen arall y Stryd Fawr. 'Mae 'da finne gwsmeriaid hefyd, ch'mod. Beth alla i'i roi iddyn nhw os nag oes dim peis i gael?'

Cerddodd Carmena, Sam Cole ac amryw o'r lleill i'r lôn y tu ôl i'r siop. A cherdded yn wyliadwrus hefyd, gan binsio'u trwynau wrth iddynt fynd yn nes at domenni drewllyd y cigydd. Wedi cyrraedd y lôn, clywsant y gwichian cyntaf.

'Ydi Mr Blackett yn bwtsiera'n barod?' meddai Carmena.

'Mochyn yw hwnna, sdim dwywaith,' meddai Sam Cole. 'Mochyn yn canu'i gân olaf.'

Daeth gwich arall. Yna 'Wwwww!' hir a phoenus.

'Mochyn digon anghyffredin, ddwedwn i, Mr Cole. Smo chi'n meddwl?'

'Mm. Mochyn o Ffrainc, siŵr o fod.'

'Mae 'na dwtsh bach o'r trwyn yn ei lais e, sdim dwywaith.'

'Ac yn tynnu'i anal ola hefyd, cofiwch. Smo mochyn yn swno'r un peth wedyn, ddim ar ei wely angau.'

Er nad oedd e'n deall y geiriau, fe glywodd Tomos y lleisiau hyn yn ddigon clir, oherwydd roedd bellach yn gaeth yn y geudy, a hwnnw'n llai na decllath i ffwrdd. 'Helpwch fi, ffrindiau!' gwaeddodd. 'Helpwch fi. Rwy ar dân! Mae 'da fi i belen o harn poeth tu mewn i fi! Ewch i mofyn …' A byddai wedi dweud mwy, ond aeth y tân yn drech nag ef. Llosgwyd y geiriau i gyd ac yn eu lle daeth pwl erchyll o ocheneidio a chwydu.

'Dim mochyn yw hwnna, gyfaill,' meddai un o'r cymdogion. 'Llais Mr Beynon yw e.'

'Rydych chi yn llygad eich lle, syr. Mr Beynon yw e, heb ddim amheuaeth.'

'Mae e yn y geudy.'

'Ydi, reit ei wala. Yn y geudy, dyna le mae e.'

'Mr Beynon! Allwch chi 'nghlywed i? Shwd y'ch chi'n teimlo, Mr Beynon? Oes 'na rywbeth gallwn ni 'wneud i'ch helpu chi?'

'Ewch i hôl …'

Ond torrwyd ateb y pasteiwr yn ei hanner gan bwl arall o chwydu. Yn wir, mor ffyrnig oedd y gwasgiadau yn ei fola, mor benderfynol ddi-baid y taflu i fyny, nes iddo ddechrau amau bod ei berfeddion wedi blino ar eu caethiwed tywyll ac yn brwydro am eu rhyddid.

Edrychodd ar y cyfuniad o waed, bustl a llysnafedd yng ngwaelod y geudy. Rhyfeddodd at y lliwiau llachar: melyn fan hyn, gwyrdd fan draw, a smotiau bach coch yn drwch trwy'r cyfan.

'Beth oedd hwnna, Tomos? Beth wedoch chi …?'

'Dŵr. Ewch i hôl dŵr i fi. Rwy ar dân, gyfeillion. Mae melltith Jehoram wedi gafael ynof fi!'

Edrychodd pawb ar Sam Cole. Edrychodd yntau'n ôl arnynt hwythau. 'Af i i mofyn dŵr, 'te.' Ac fe aeth y prentis yn ôl i'r Stryd Fawr.

'Byddwn ni gyda chi yn y man, Mr Beynon,' meddai Carmena. Ac yna, mewn ymgais i godi'i hwyliau, 'Dwi wedi dod â'r blodau i chi.'

Pwysodd Tomos law flinedig yn erbyn wal y geudy. 'Diolch … Diolch yn fawr …'

Daeth seibiant. Yna, heb rybudd, ffarweliodd y belen haearn danllyd â bola Tomos a rhuthro i lawr i sffincter ei ben-ôl.

'Aaaaa!'

Tynnodd Tomos ei drywser i lawr ac eistedd ar y sêt bren.

'Wwww!'

Cychwynnodd Tomos ar wacâd mor ddwys ac mor nerthol fel y byddai dyn yn tyngu, ar boen ei grogi, mai chwŷd a chachu oedd ei holl gorff, o'i gorun hyd ei sawdl, a bod y corff hwnnw ar fin ymddatod, a mynd yn un â'r dom yn ei garthbwll.

'Aaaa!'

Safodd y cymdogion yn ddisgwylgar, gan geisio pwyso a mesur ystyr y newid sydyn hwn yn ebych-iadau'r pasteiwr. 'Mae e wedi llyncu'r bilsen las,' meddai un ohonynt. 'Sdim dowt amdani.'

'Digon posib,' meddai un arall. 'Digon posib, yn wir. Mae bwyta gormod o'r hen beis 'na yn gallu rhwymo dyn yn ofnadw. Ac mae angen y bilsen las wedyn. Oes, wir.'

Yna, er mawr syndod i bawb, dechreuodd Tomos chwerthin, a chwerthin yn uchel hefyd, a'r chwerthin hwnnw wedyn yn esgor ar ffrwydrad dilyffethair o ielpan gwyllt, fel petai Tomos yn cael ei goglais gan y diafol ei hun.

'Mae ei hwyliau'n dechrau codi, ddwedwn i.'

'Ha! Un smala fuodd yr hen Tomos Beynon erioed!'

Ond os oedd yr ielpan yn wyllt, ni pharodd yn hir. Erbyn hyn roedd ewyn yn llifo o geg y pasteiwr, yn union fel petai'n cnoi sebon. Trodd y chwerthin yn gecian aneglur. Trodd y cecian yn anadlu gyddfol, fel dyn ar dagu. Ac yna, heb un gair pellach, fe gwympodd Tomos i'r llawr.

'Clywch! Mae e wedi dod ato'i hun!'

'Mae'n swnio felly.'

'Beth am y dŵr? Ydych chi'n credu bod angen dŵr arno fe o hyd?'

'Does dim drwg yn y peth, Mr Cole. Ar ôl y fath ollyngiadau. Na, dim drwg o gwbl. Ond sut ...?' Pwyntiodd fys at y drws cloëdig.

Gyda hynny, fel petai ar alwad rhagluniaeth, agorodd drws iard Harold Blackett a daeth pen y cigydd i'r golwg. 'Ga i fod o help, gyfeillion? Fe glywais i sŵn ...' Eglurodd Mr Cole wrtho natur eu cyfyng-gyngor. Rhoddodd grynodeb hefyd o'r trafod a fu ynglŷn â melltith Jehoram. Yna, gyda chaniatâd y cigydd, fe siarsiodd y lleill i'w ddilyn trwy'r iard. Cerddodd pawb ar flaenau'u traed rhwng y perfeddion a'r penglogau a'r olion corfforol eraill a bentyrrwyd hwnt ac yma ar bob llaw.

Wedi cyrraedd y wal a wahanai iardiau'r ddau gymydog, gwaeddodd y prentis: 'Mr Beynon! Ydych chi'n gallu 'nghlywed i? Oes isie help arnoch chi, Mr Beynon?'

Ni ddaeth ateb, heblaw rhyw riddfan isel. Dringodd Sam Cole dros y wal.

'Peidiwch â becso dim, Mr Beynon,' meddai. ''Ni wedi dod â dŵr i chi ...'

Yna, tawelwch.

'Mr Cole?' meddai Mr Blackett. 'Mr Beynon? Oes rhywbeth yn bod?'

'Wel, mawredd y meheryn!' meddai Sam Cole.

Pan gafodd y prentis hyd i'w feistr, roedd e'n eistedd ar y llawr y tu ôl i ddrws y geudy. Roedd ei lygaid ar agor, ac yn syllu tua'r nenfwd. Roedd ei geg wedi'i pharlysu rhwng gwên a gwg. Roedd ffrydiau llachar o felyn a gwyrdd yn sgleinio ar ei wasgod.

Ond manylion bach dibwys oedd y rhain o'u cymharu â'r hyn a ddaliodd brif sylw Sam Cole. Oherwydd yno, rhwng y wasgod a'r llodrau (a'r rheini'n glwmp anniben am ei benliniau), fe welodd y prentis y codiad mwyaf nerthol a phenderfynol a welsai erioed, mor fawr ac mor nerthol, yn wir, nes bod Sam Cole yn argyhoeddedig, am ychydig eiliadau, ei fod e'n edrych, nid ar ran o gorff dynol, ond yn hytrach ar ddarn o gig (a'r asgwrn yn sownd yn ei ganol) a dynghedwyd i'w goginio a'i stwffio i mewn i bastai. Cynffon ych, efallai. Neu goes oen.

'Mr Cole?' meddai Harold Blackett, dros y wal. 'Ydi Mr Beynon wedi dod ato'i hun?'

'Mae e … Mae e …'

Ond, yn wyneb y symptomau anghyson – y llygaid meirwon ar y naill law, y gala egnïol ar y llall – doedd y prentis ddim yn gwybod pa ateb i'w gynnig. Byw neu farw? Oedd modd bod yn fyw ac yn farw'r un pryd? Ai dyma beth oedd ystyr yr atgyfodiad?

Yna, fel petai o'r bedd ei hun: 'Mr Cole …'

'Mr Beynon?'

'Cer i ddweud … Cer i ddweud …'

'Ie, Mr Beynon?'

'Cer i ddweud wrth Agnes …'

'Ie, ie, Mr Beynon. Dweud wrth Agnes …'

'Dim ond … dim ond wrth Agnes, cofia …'

'Ie, ie, dim ond wrth Agnes.'

'Cer i ddweud wrthi …'

'Ie?'

'Cer i ddweud wrth Agnes fod 'na asgwrn yn yr hen borc 'ma wedi'r cwbl.'

Gyda hynny, tynnodd Tomos Beynon ei anadl olaf. Cymerodd Samuel Cole hances sidan o'i boced a'i hagor. Wedi ystyried ei hyd a'i lled, fe'i plygodd yn daclus a'i rhoi yn ôl yn ei boced. Yna, tynnodd ei siaced a'i hongian, yn dyner ofalus, dros y pidyn dyrchafedig.

Awduron Chwant

Bethan Gwanas (Sypréis!, Tud 7)

Awdures 38 o lyfrau i blant ac oedolion. Enillodd wobr Tir na nOg am ei llyfrau i'r arddegau gyda *Llinyn Trôns* a *Sgôr*, a hi

oedd enillydd cyntaf Gwobr Goffa T Llew Jones am nofel i blant gyda *Gwylliaid*. Roedd *Hi yw Fy Ffrind* ar restr fer Llyfr y Flwyddyn 2005, yr unig dro iddi gael sniff arni. Mae'n ysgrifennu colofn boblogaidd i'r Herald Gymraeg yn y *Daily Post* ers dros 19 mlynedd. Cafodd ei geni a'i magu ger Dolgellau ym Meirionnydd, a dathlodd y Mileniwm drwy symud yn ôl yno. Mae'n hoffi beicio, darllen, cŵn, garddio a siocled, a does ganddi ddim llwchyn o ddiddordeb mewn balwnau.

Sonia Edwards (Tragwyddoldeb, Tud 20)

Yn enedigol o Gemaes, Môn, mae'r Prif Lenor Sonia Edwards yn awdur sawl cyfrol i blant ac oedolion, yn straeon byrion ac yn nofelau. Mae bellach yn byw yn Llangefni ers blynyddoedd maith, ac yn llawforwyn ffyddlon i Ddogue de Bordeaux saith stôn o'r enw Popi sy'n rheoli'r aelwyd â phawen gadarn!

Rhys Iorwerth (Sebastian, Tud 32)

Ar ôl pymtheg mlynedd yng Nghaerdydd, mae Rhys Iorwerth bellach wedi dychwelyd i dref ei febyd yng Nghaernarfon, lle mae'n gweithio fel awdur a chyfieithydd llawrydd. Yno hefyd mae'n trefnu nosweithiau Bragdy'r Beirdd ac yn cynnal dosbarthiadau cynganeddu. Ei ddiddordebau yw pêl-droed, seiclo, coginio a chwarae darts yn wael yn y Twtil Vaults.

Siân Melangell Dafydd (Pethau odiach, Tud 44)

Merch o droed y Berwyn, ger y Bala, yw Siân, awdur, bardd, cyfieithydd ac athrawes yoga. Mae'n addysgu ysgrifennu

creadigol ym Mhrifysgol America Paris a chwrs meistr ymchwil ym Mhrifysgol Bath Spa. Mae ei gwaith yn cyfuno defod ysgrifennu ac yoga. Enillodd y Fedal Ryddiaith yn Eisteddfod Genedlaethol 2009 a bu'n gyd-olygydd y cylchgrawn *Taliesin* am chwe blynedd wedyn. Cydweithio sy'n bwysig yn ei gwaith – gydag artistiaid, dawnswyr, crefftwyr, a chyfieithwyr o bob cwr o'r byd.

Jon Gower (Pornograffi, Tud 60)

Mae Jon Gower wedi ysgrifennu tri deg o gyfrolau o bob math, gan gynnwys straeon byrion, llyfrau taith a llyfrau hanes. Bydd yr un nesaf yn trafod gwaith y cyfarwyddwr ffilm Karl Francis cyn iddo ddechrau llunio nofel Gymraeg newydd, sef *Achos Freeman*.

Aled Islwyn (Does dim amdani, Tud 74)

Wedi ei eni ym Mhort Talbot a'i fagu ledled Cymru – yng Nglynarthen, Tregaron, Bae Colwyn a Wrecsam – mae Aled wedi treulio rhan helaetha'i oes yng Nghaerdydd. Yn ogystal â gweithio fel golygydd a chyfieithydd, mae'n awdur deg nofel a thri chasgliad o storïau. Ei nofel ddiweddaraf yw *Plant y Dyfroedd*, a gyhoeddwyd yn 2017, ac ers hynny bu'n gweithio gyda'r consuriwr a'r gweinidog Eirian Wyn ar ei hunangofiant, *Hud a Lled*.

Heiddwen Tomos (Y Guru, Tud 87)

Yn wreiddiol o Lanybydder, mae Heiddwen yn byw ar fferm ym Mhengarreg, Sir Gaerfyrddin ac yn bennaeth Cyfadran y Celfyddydau Mynegiannol, Ysgol Bro Teifi, Llandysul. Mae'n briod â Siôn ac yn fam i dri – Gruff, Swyn a Tirion. Enillodd Fedal Ddrama Eisteddfod Genedlaethol, Ynys Môn yn 2017 ac mae wedi cyhoeddi dwy nofel – *Dŵr yn yr Afon* ac *Esgyrn* a gyrhaeddodd rhestr fer Llyfr y Flwyddyn 2019. Mae'n mwynhau peintio a throi pren.

Izzy Rabey (Allan i'r glaw, Tud 100)

Daw Izzy o Fachynlleth yn wreiddiol, a nawr mae'n byw yng Nghaerdydd, gan weithio fel Cyfarwyddwr, Hwylusydd Drama a Chantores. Mae Izzy yn rhedeg dau gwmni: Run Amok (www.theatrrunamok.com <http://www.theatrrunamok.com>) sy'n creu cynyrchiadau theatrig fodern a Dan Yr Haul/Under the Sun, sef cwmni dwyieithog sy'n cynnal gweithdai Drama, Celf a

Cherddoriaeth mewn gwyliau. Fel hwylusydd drama, mae Izzy wedi gweithio yn Efrog Newydd, India a Kenya. Mae hefyd wedi gweithio fel cyfarwyddwr i Theatr Clwyd, Theatr y Sherman a The Other Room. Hi yw brif gantores y band newydd The Mermerings. Heblaw am ysgrifennu erthygl am ddwyieithrwydd a rhyw-ioldeb ar gyfer cylchgrawn *DIVA* yn 2016, dyma yw ei chyhoeddiad cyntaf.

Ifana Savill (Llygaid yn y nos, Tud 112)

Cyn ymddeol yn 2015 bu Ifana'n gweithio yn Adran Grantiau'r Cyngor Llyfrau am 35 mlynedd. Yn ogystal, bu'n

ysgrifennu cyfresi teledu i blant megis *Sang-di-fang*, *Caffi Sali Mali* a *Pentre Bach*. Ffilmiwyd *Pentre Bach*, cartref i Sali Mali a'i ffrindiau, ar hen fferm y teulu ym Mlaenpennal, Ceredigion ac fe wnaeth hi a'i gŵr Adrian ddatblygu'r lleoliad yn atyniad i deuluoedd ac yn llety hunan darpar. Ers ymddeol mae'n byw ym Mhentre Bach a hefyd yn ysgrifennu. Hi yw awdur y gyfres ddarllen *Pobl Pentre Bach* sy'n cynnwys 80 o lyfrau hwyliog ac hefyd mae wedi ysgrifennu nifer o lyfrau bwrdd am Sali Mali a'i ffrindiau. Mae ganddi sawl cynllun arall ar y gweill.

Tony Bianchi (Blodau sidan, Tud 134)

Gwnaeth y diweddar Tony Bianchi gyfraniad enfawr i'r byd llenyddol yng Nghymru, ac mae'n fraint cael cyhoeddi ei stori 'Blodau sidan' yn y gyfrol hon. Brodor o North Shields, Northumberland oedd Tony. Wedi cyfnodau yn Llanbedr Pont Steffan, Shotton ac Aberystwyth, symudodd i fyw i Gaerdydd. Bu'n bennaeth Adran Lenyddiaeth Cyngor Celfyddydau

Cymru cyn mynd i weithio ar ei liwt ei hun. Enillodd Gwobr Goffa Daniel Owen yn 2007 am ei lyfr *Pryfeta* a'r Fedal Ryddiaith yn Eisteddfod Genedlaethol Meifod 2015 am y nofel *Dwy Farwolaeth Endaf Rowlands*. Cafodd ei lyfr *Esgyrn Bach* ei restru ar restr-hir Llyfr y Flwyddyn 2007. Cyhoeddodd ei nofel gyntaf yn Saesneg, *Bumping* (Alcemi) ym Mai 2010 a fe'i dewiswyd i restr-hir Gwobr Portico.